中华人民共和国国家标准

汽车库、修车库、停车场设计防火规范

Code for fire protection design of garage, motor repair shop and parking area

GB 50067 - 2014

主编部门：中 华 人 民 共 和 国 公 安 部
批准部门：中华人民共和国住房和城乡建设部
施行日期：2 0 1 5 年 8 月 1 日

中国计划出版社

2014 北 京

中华人民共和国国家标准

汽车库、修车库、停车场
设计防火规范

GB 50067-2014

☆

中国计划出版社出版发行

网址：www.jhpress.com

地址：北京市西城区木樨地北里甲11号国宏大厦C座3层

邮政编码：100038 电话：(010) 63906433 (发行部)

三河富华印刷包装有限公司印刷

850mm×1168mm 1/32 3印张 72千字

2015年7月第1版 2022年11月第10次印刷

☆

统一书号：1580242·613

定价：20.00元

中华人民共和国住房和城乡建设部公告

第 595 号

住房城乡建设部关于发布国家标准《汽车库、修车库、停车场设计防火规范》的公告

现批准《汽车库、修车库、停车场设计防火规范》为国家标准，编号为 GB 50067—2014，自 2015 年 8 月 1 日起实施。其中，第 3.0.2、3.0.3、4.1.3、4.2.1、4.2.4、4.2.5、4.3.1、5.1.1、5.1.3、5.1.4、5.1.5、5.2.1、5.3.1、5.3.2、6.0.1、6.0.3、6.0.6、6.0.9、7.1.4、7.1.5、7.1.8、7.1.15、7.2.1、8.2.1、9.0.7 条为强制性条文，必须严格执行。原国家标准《汽车库、修车库、停车场设计防火规范》GB 50067—97 同时废止。

本规范由我部标准定额研究所组织中国计划出版社出版发行。

中华人民共和国住房和城乡建设部

2014 年 12 月 2 日

前言

本规范是根据原建设部《关于印发〈2006年工程建设标准规范制订、修订计划(第一批)〉的通知》(建标〔2006〕77号)的要求，由上海市公安消防总队会同有关单位共同对原国家标准《汽车库、修车库、停车场设计防火规范》GB 50067—97进行修订的基础上编制而成。

本规范在修订过程中，修订组遵照国家有关基本建设的方针和“预防为主、防消结合”的消防工作方针，深入调研了汽车库建设、运行现状，认真总结了汽车库工程建设实践经验，广泛征求了有关科研、设计、生产、消防监督、教学及汽车库运行管理等部门和单位的意见，研究和消化吸收了国外有关标准，最后经审查定稿。

本规范共分9章，其主要内容有：总则，术语，分类和耐火等级，总平面布局和平面布置，防火分隔和建筑构造，安全疏散和救援设施，消防给水和灭火设施，供暖、通风和排烟，电气。

本规范本次修订的主要内容是：

1. 增加了半地下汽车库、多层汽车库的定义，修改了敞开式汽车库的定义；

2. 增加了汽车库、修车库分类的面积控制指标；

3. 调整了部分建筑构件的燃烧性能和耐火极限；

4. 调整了汽车库与其他建筑组合建造的相关要求；

5. 调整了机械式汽车库停车规模、防火分隔、灭火救援的相关规定；

6. 增加了消防电梯的设置要求，调整了汽车疏散坡道宽度的相关规定；

7. 细化了自动灭火系统的设置要求，增加了自然排烟的相关要求。

本规范中以黑体字标志的条文为强制性条文，必须严格执行。

本规范由住房城乡建设部负责管理和对强制性条文的解释，由公安部负责日常管理工作，由上海市公安消防总队负责具体技术内容的解释。本规范在执行过程中，希望各单位注意经验的总结和积累，如发现需要修改或补充之处，请将意见和建议寄至上海市公安消防总队（地址：上海市长宁区中山西路229号，邮政编码：200051），以供今后修订时参考。

本规范主编单位、参编单位、主要起草人和主要审查人：

主编单位：上海市公安消防总队

参编单位：公安部天津消防研究所
广东省公安消防总队
上海建筑设计研究院有限公司
中国建筑科学研究院防火研究所
公安部四川消防研究所
北京市公安消防总队
上海自动化车库研究所
浙江省建筑设计研究院
上海城市交通设计院
中国重型机械工业协会停车设备工作委员会
北京中通国信系统集团有限公司

主要起草人：沈友弟 倪照鹏 胡波 蒋皓 曾杰
沈纹 南江林 张磊 杜霞 王丹晖
钱平 孙旋 黄德祥 康健 李正吾
许世文 杨永夷 龚建平 张永胜

主要审查人：高建民 刘梅梅 黄晓家 王金元 江刚
李建广 彭琼 陈应南 郭晋生 李文涛
程琪

目　　次

Contents

1 总　　则

1.0.1 为了防止和减少汽车库、修车库、停车场的火灾危险和危害，保护人身和财产的安全，制定本规范。

1.0.2 本规范适用于新建、扩建和改建的汽车库、修车库、停车场的防火设计，不适用于消防站的汽车库、修车库、停车场的防火设计。

1.0.3 汽车库、修车库、停车场的防火设计，应结合汽车库、修车库、停车场的特点，采取有效的防火措施，并应做到安全可靠、技术先进、经济合理。

1.0.4 汽车库、修车库、停车场的防火设计，除应符合本规范外，尚应符合国家现行有关标准的规定。

2 术　语

2.0.1 汽车库　garage

用于停放由内燃机驱动且无轨道的客车、货车、工程车等汽车的建筑物。

2.0.2 修车库　motor repair shop

用于保养、修理由内燃机驱动且无轨道的客车、货车、工程车等汽车的建(构)筑物。

2.0.3 停车场　parking lot

专用于停放由内燃机驱动且无轨道的客车、货车、工程车等汽车的露天场地或构筑物。

2.0.4 地下汽车库　underground garage

地下室内地坪面与室外地坪面的高度之差大于该层车库净高1/2 的汽车库。

2.0.5 半地下汽车库　semi-underground garage

地下室内地坪面与室外地坪面的高度之差大于该层车库净高1/3 且不大于 1/2 的汽车库。

2.0.6 多层汽车库　multi-storey garage

建筑高度小于或等于 24m 的两层及以上的汽车库或设在多层建筑内地面层以上楼层的汽车库。

2.0.7 高层汽车库　high-rise garage

建筑高度大于 24m 的汽车库或设在高层建筑内地面层以上楼层的汽车库。

2.0.8 机械式汽车库　mechanical garage

采用机械设备进行垂直或水平移动等形式停放汽车的汽车库。

2.0.9 敞开式汽车库　open garage

任一层车库外墙敞开面积大于该层四周外墙体总面积的25%，敞开区域均匀布置在外墙上且其长度不小于车库周长的50%的汽车库。

3 分类和耐火等级

3.0.1 汽车库、修车库、停车场的分类应根据停车（车位）数量和总建筑面积确定，并应符合表3.0.1的规定。

表3.0.1 汽车库、修车库、停车场的分类

名称		Ⅰ	Ⅱ	Ⅲ	Ⅳ
汽车库	停车数量（辆）	>300	151～300	51～150	≤50
	总建筑面积 S(m^2)	S>10000	5000< S≤10000	2000< S≤5000	S≤2000
修车库	车位数（个）	>15	6～15	3～5	≤2
	总建筑面积 S(m^2)	S>3000	1000< S≤3000	500< S≤1000	S≤500
停车场	停车数量（辆）	>400	251～400	101～250	≤100

注：1 当屋面露天停车场与下部汽车库共用汽车坡道时，其停车数量应计算在汽车库的车辆总数内。

2 室外坡道、屋面露天停车场的建筑面积可不计入汽车库的建筑面积之内。

3 公交汽车库的建筑面积可按本表的规定值增加2.0倍。

3.0.2 汽车库、修车库的耐火等级应分为一级、二级和三级，其构件的燃烧性能和耐火极限均不应低于表3.0.2的规定。

表3.0.2 汽车库、修车库构件的燃烧性能和耐火极限（h）

建筑构件名称		耐火等级		
		一级	二级	三级
墙	防火墙	不燃性 3.00	不燃性 3.00	不燃性 3.00
	承重墙	不燃性 3.00	不燃性 2.50	不燃性 2.00
	楼梯间和前室的墙、防火隔墙	不燃性 2.00	不燃性 2.00	不燃性 2.00
	隔墙、非承重外墙	不燃性 1.00	不燃性 1.00	不燃性 0.50

续表 3.0.2

建筑构件名称	耐火等级		
	一级	二级	三级
柱	不燃性 3.00	不燃性 2.50	不燃性 2.00
梁	不燃性 2.00	不燃性 1.50	不燃性 1.00
楼 板	不燃性 1.50	不燃性 1.00	不燃性 0.50
疏散楼梯、坡道	不燃性 1.50	不燃性 1.00	不燃性 1.00
屋顶承重构件	不燃性 1.50	不燃性 1.00	可燃性 0.50
吊顶(包括吊顶格栅)	不燃性 0.25	不燃性 0.25	难燃性 0.15

注:预制钢筋混凝土构件的节点缝隙或金属承重构件的外露部位应加设防火保护层,其耐火极限不应低于表中相应构件的规定。

3.0.3 汽车库和修车库的耐火等级应符合下列规定:

1 地下、半地下和高层汽车库应为一级;

2 甲、乙类物品运输车的汽车库、修车库和Ⅰ类汽车库、修车库,应为一级;

3 Ⅱ、Ⅲ类汽车库、修车库的耐火等级不应低于二级;

4 Ⅳ类汽车库、修车库的耐火等级不应低于三级。

4 总平面布局和平面布置

4.1 一 般 规 定

4.1.1 汽车库、修车库、停车场的选址和总平面设计，应根据城市规划要求，合理确定汽车库、修车库、停车场的位置、防火间距、消防车道和消防水源等。

4.1.2 汽车库、修车库、停车场不应布置在易燃、可燃液体或可燃气体的生产装置区和贮存区内。

4.1.3 汽车库不应与火灾危险性为甲、乙类的厂房、仓库贴邻或组合建造。

4.1.4 汽车库不应与托儿所、幼儿园，老年人建筑，中小学校的教学楼，病房楼等组合建造。当符合下列要求时，汽车库可设置在托儿所、幼儿园，老年人建筑，中小学校的教学楼，病房楼等的地下部分：

1 汽车库与托儿所、幼儿园，老年人建筑，中小学校的教学楼，病房楼等建筑之间，应采用耐火极限不低于2.00h的楼板完全分隔；

2 汽车库与托儿所、幼儿园，老年人建筑，中小学校的教学楼，病房楼等的安全出口和疏散楼梯应分别独立设置。

4.1.5 甲、乙类物品运输车的汽车库、修车库应为单层建筑，且应独立建造。当停车数量不大于3辆时，可与一、二级耐火等级的Ⅳ类汽车库贴邻，但应采用防火墙隔开。

4.1.6 Ⅰ类修车库应单独建造；Ⅱ、Ⅲ、Ⅳ类修车库可设置在一、二级耐火等级建筑的首层或与其贴邻，但不得与甲、乙类厂房、仓库，明火作业的车间或托儿所、幼儿园、中小学校的教学楼，老年人建筑，病房楼及人员密集场所组合建造或贴邻。

4.1.7 为汽车库、修车库服务的下列附属建筑，可与汽车库、修车库贴邻，但应采用防火墙隔开，并应设置直通室外的安全出口：

1 贮存量不大于1.0t的甲类物品库房；

2 总安装容量不大于5.0m^3/h的乙炔发生器间和贮存量不超过5个标准钢瓶的乙炔气瓶库；

3 1个车位的非封闭喷漆间或不大于2个车位的封闭喷漆间；

4 建筑面积不大于200m^2的充电间和其他甲类生产场所。

4.1.8 地下、半地下汽车库内不应设置修理车位、喷漆间、充电间、乙炔间和甲、乙类物品库房。

4.1.9 汽车库和修车库内不应设置汽油罐、加油机、液化石油气或液化天然气储罐、加气机。

4.1.10 停放易燃液体、液化石油气罐车的汽车库内，不得设置地下室和地沟。

4.1.11 燃油或燃气锅炉、油浸变压器、充有可燃油的高压电容器和多油开关等，不应设置在汽车库、修车库内。当受条件限制必须贴邻汽车库、修车库布置时，应符合现行国家标准《建筑设计防火规范》GB 50016的有关规定。

4.1.12 Ⅰ、Ⅱ类汽车库、停车场宜设置耐火等级不低于二级的灭火器材间。

4.2 防火间距

4.2.1 除本规范另有规定外，汽车库、修车库、停车场之间及汽车库、修车库、停车场与除甲类物品仓库外的其他建筑物的防火间距，不应小于表4.2.1的规定。其中，高层汽车库与其他建筑物，汽车库、修车库与高层建筑的防火间距应按表4.2.1的规定值增加3m；汽车库、修车库与甲类厂房的防火间距应按表4.2.1.的规定值增加2m。

表 4.2.1 汽车库、修车库、停车场之间及汽车库、修车库、停车场与除甲类物品仓库外的其他建筑物的防火间距(m)

名称和耐火等级	汽车库、修车库		厂房、仓库、民用建筑		
	一、二级	三级	一、二级	三级	四级
一、二级汽车库、修车库	10	12	10	12	14
三级汽车库、修车库	12	14	12	14	16
停 车 场	6	8	6	8	10

注:1 防火间距应按相邻建筑物外墙的最近距离算起,如外墙有凸出的可燃物构件时,则应从其凸出部分外缘算起,停车场从靠近建筑物的最近停车位置边缘算起。

2 厂房、仓库的火灾危险性分类应符合现行国家标准《建筑设计防火规范》GB 50016的有关规定。

4.2.2 汽车库、修车库之间或汽车库、修车库与其他建筑之间的防火间距可适当减少,但应符合下列规定:

1 当两座建筑相邻较高一面外墙为无门、窗、洞口的防火墙或当较高一面外墙比较低一座一、二级耐火等级建筑屋面高 15m 及以下范围内的外墙为无门、窗、洞口的防火墙时,其防火间距可不限;

2 当两座建筑相邻较高一面外墙上,同较低建筑等高的以下范围内的墙为无门、窗、洞口的防火墙时,其防火间距可按本规范表 4.2.1 的规定值减小 50%;

3 相邻的两座一、二级耐火等级建筑,当较高一面外墙的耐火极限不低于 2.00h,墙上开口部位设置甲级防火门、窗或耐火极限不低于 2.00h 的防火卷帘、水幕等防火设施时,其防火间距可减小,但不应小于 4m;

4 相邻的两座一、二级耐火等级建筑,当较低一座的屋顶无开口,屋顶的耐火极限不低于 1.00h,且较低一面外墙为防火墙时,其防火间距可减小,但不应小于 4m。

4.2.3 停车场与相邻的一、二级耐火等级建筑之间,当相邻建筑的外墙为无门、窗、洞口的防火墙,或比停车部位高 15m 范围以下的外墙均为无门、窗、洞口的防火墙时，防火间距可不限。

4.2.4 汽车库、修车库、停车场与甲类物品仓库的防火间距不应小于表 4.2.4 的规定。

表 4.2.4 汽车库、修车库、停车场与甲类物品仓库的防火间距(m)

名称		总容量(t)	汽车库、修车库		停车场
			一、二级	三级	
甲类物品仓库	3、4 项	≤5	15	20	15
		>5	20	25	20
	1、2、5、6 项	≤10	12	15	12
		>10	15	20	15

注:1 甲类物品的分项应符合现行国家标准《建筑设计防火规范》GB 50016 的有关规定。

2 甲、乙类物品运输车的汽车库、修车库、停车场与甲类物品仓库的防火间距应按本表的规定值增加 5m。

4.2.5 甲、乙类物品运输车的汽车库、修车库、停车场与民用建筑的防火间距不应小于 25m，与重要公共建筑的防火间距不应小于 50m。甲类物品运输车的汽车库、修车库、停车场与明火或散发火花地点的防火间距不应小于 30m，与厂房、仓库的防火间距应按本规范表 4.2.1 的规定值增加 2m。

4.2.6 汽车库、修车库、停车场与易燃、可燃液体储罐，可燃气体储罐，以及液化石油气储罐的防火间距，不应小于表 4.2.6 的规定。

表 4.2.6 汽车库、修车库、停车场与易燃、可燃液体储罐，可燃气体储罐，以及液化石油气储罐的防火间距(m)

名称	总容量(积)(m^3)	汽车库、修车库		停车场
		一、二级	三级	
易燃液体储罐	1～50	12	15	12
	51～200	15	20	15
	201～1000	20	25	20
	1001～5000	25	30	25

续表 4.2.6

名称	总容量(积)(m^3)	汽车库、修车库		停车场
		一、二级	三级	
可燃液体储罐	5～250	12	15	12
	251～1000	15	20	15
	1001～5000	20	25	20
	5001～25000	25	30	25
湿式可燃气体储罐	≤1000	12	15	12
	1001～10000	15	20	15
	>10000	20	25	20
液化石油气储罐	1～30	18	20	18
	31～200	20	25	20
	201～500	25	30	25
	>500	30	40	30

注：1 防火间距应从距汽车库、修车库、停车场最近的储罐外壁算起，但设有防火堤的储罐，其防火堤外侧基脚线距汽车库、修车库、停车场的距离不应小于 10m。

2 计算易燃、可燃液体储罐区总容量时，$1m^3$ 的易燃液体按 $5m^3$ 的可燃液体计算。

3 干式可燃气体储罐与汽车库、修车库、停车场的防火间距，当可燃气体的密度比空气大时，应按本表对湿式可燃气体储罐的规定增加 25%；当可燃气体的密度比空气小时，可执行本表对湿式可燃气体储罐的规定。固定容积的可燃气体储罐与汽车库、修车库、停车场的防火间距，不应小于本表对湿式可燃气体储罐的规定。固定容积的可燃气体储罐的总容积按储罐几何容积(m^3)和设计储存压力(绝对压力，10^5Pa)的乘积计算。

4 容积小于 $1m^3$ 的易燃液体储罐或小于 $5m^3$ 的可燃液体储罐与汽车库、修车库、停车场的防火间距，当采用防火墙隔开时，其防火间距可不限。

4.2.7 汽车库、修车库、停车场与可燃材料露天、半露天堆场的防火间距不应小于表 4.2.7 的规定。

表 4.2.7 汽车库、修车库、停车场与可燃材料露天、半露天堆场的防火间距(m)

名称		总储量	汽车库、修车库		停车场
			一、二级	三级	
稻草、麦秸、芦苇等(t)		10～5000	15	20	15
		5001～10000	20	25	20
		10001～20000	25	30	25
棉麻、毛、化纤、百货(t)		10～500	10	15	10
		501～1000	15	20	15
		1001～5000	20	25	20
煤和焦炭(t)		1000～5000	6	8	6
		＞5000	8	10	8
粮食	筒仓(t)	10～5000	10	15	10
		5001～20000	15	20	15
	席穴囤(t)	10～5000	15	20	15
		5001～20000	20	25	20
木材等可燃材料(m^3)		50～1000	10	15	10
		1001～10000	15	20	15

4.2.8 汽车库、修车库、停车场与燃气调压站、液化石油气的瓶装供应站的防火间距，应符合现行国家标准《城镇燃气设计规范》GB 50028 的有关规定。

4.2.9 汽车库、修车库、停车场与石油库、汽车加油加气站的防火间距，应符合现行国家标准《石油库设计规范》GB 50074 和《汽车加油加气站设计与施工规范》GB 50156 的有关规定。

4.2.10 停车场的汽车宜分组停放，每组的停车数量不宜大于 50 辆，组之间的防火间距不应小于 6m。

4.2.11 屋面停车区域与建筑其他部分或相邻其他建筑物的防火间距，应按地面停车场与建筑的防火间距确定。

4.3 消 防 车 道

4.3.1 汽车库、修车库周围应设置消防车道。

4.3.2 消防车道的设置应符合下列要求：

1 除Ⅳ类汽车库和修车库以外，消防车道应为环形，当设置环形车道有困难时，可沿建筑物的一个长边和另一边设置；

2 尽头式消防车道应设置回车道或回车场，回车场的面积不应小于 12m×12m；

3 消防车道的宽度不应小于 4m。

4.3.3 穿过汽车库、修车库、停车场的消防车道，其净空高度和净宽度均不应小于 4m；当消防车道上空遇有障碍物时，路面与障碍物之间的净空高度不应小于 4m。

5 防火分隔和建筑构造

5.1 防火分隔

5.1.1 汽车库防火分区的最大允许建筑面积应符合表5.1.1的规定。其中，敞开式、错层式、斜楼板式汽车库的上下连通层面积应叠加计算，每个防火分区的最大允许建筑面积不应大于表5.1.1规定的2.0倍；室内有车道且有人员停留的机械式汽车库，其防火分区最大允许建筑面积应按表5.1.1的规定减少35%。

表5.1.1 汽车库防火分区的最大允许建筑面积(m^2)

耐火等级	单层汽车库	多层汽车库、半地下汽车库	地下汽车库、高层汽车库
一、二级	3000	2500	2000
三级	1000	不允许	不允许

注：除本规范另有规定外，防火分区之间应采用符合本规范规定的防火墙、防火卷帘等分隔。

5.1.2 设置自动灭火系统的汽车库，其每个防火分区的最大允许建筑面积不应大于本规范第5.1.1条规定的2.0倍。

5.1.3 室内无车道且无人员停留的机械式汽车库，应符合下列规定：

1 当停车数量超过100辆时，应采用无门、窗、洞口的防火墙分隔为多个停车数量不大于100辆的区域，但当采用防火隔墙和耐火极限不低于1.00h的不燃性楼板分隔成多个停车单元，且停车单元内的停车数量不大于3辆时，应分隔为停车数量不大于300辆的区域；

2 汽车库内应设置火灾自动报警系统和自动喷水灭火系统，自动喷水灭火系统应选用快速响应喷头；

3 楼梯间及停车区的检修通道上应设置室内消火栓；

4 汽车库内应设置排烟设施，排烟口应设置在运输车辆的通道顶部。

5.1.4 甲、乙类物品运输车的汽车库、修车库，每个防火分区的最大允许建筑面积不应大于 500m²。

5.1.5 修车库每个防火分区的最大允许建筑面积不应大于 2000m²，当修车部位与相邻使用有机溶剂的清洗和喷漆工段采用防火墙分隔时，每个防火分区的最大允许建筑面积不应大于 4000m²。

5.1.6 汽车库、修车库与其他建筑合建时，应符合下列规定：

1 当贴邻建造时，应采用防火墙隔开；

2 设在建筑物内的汽车库(包括屋顶停车场)、修车库与其他部位之间，应采用防火墙和耐火极限不低于 2.00h 的不燃性楼板分隔；

3 汽车库、修车库的外墙门、洞口的上方，应设置耐火极限不低于 1.00h、宽度不小于 1.0m、长度不小于开口宽度的不燃性防火挑檐；

4 汽车库、修车库的外墙上、下层开口之间墙的高度，不应小于 1.2m 或设置耐火极限不低于 1.00h、宽度不小于 1.0m 的不燃性防火挑檐。

5.1.7 汽车库内设置修理车位时，停车部位与修车部位之间应采用防火墙和耐火极限不低于 2.00h 的不燃性楼板分隔。

5.1.8 修车库内使用有机溶剂清洗和喷漆的工段，当超过 3 个车位时，均应采用防火隔墙等分隔措施。

5.1.9 附设在汽车库、修车库内的消防控制室、自动灭火系统的设备室、消防水泵房和排烟、通风空气调节机房等，应采用防火隔墙和耐火极限不低于 1.50h 的不燃性楼板相互隔开或与相邻部位分隔。

5.2 防火墙、防火隔墙和防火卷帘

5.2.1 防火墙应直接设置在建筑的基础或框架、梁等承重结构

上，框架、梁等承重结构的耐火极限不应低于防火墙的耐火极限。防火墙、防火隔墙应从楼地面基层隔断至梁、楼板或屋面结构层的底面。

5.2.2 当汽车库、修车库的屋面板为不燃材料且耐火极限不低于0.50h时，防火墙、防火隔墙可砌至屋面基层的底部。

5.2.3 三级耐火等级汽车库、修车库的防火墙、防火隔墙应截断其屋顶结构，并应高出其不燃性屋面不小于0.4m；高出可燃性或难燃性屋面不小于0.5m。

5.2.4 防火墙不宜设在汽车库、修车库的内转角处。当设在转角处时，内转角处两侧墙上的门、窗、洞口之间的水平距离不应小于4m。防火墙两侧的门、窗、洞口之间最近边缘的水平距离不应小于2m。当防火墙两侧设置固定乙级防火窗时，可不受距离的限制。

5.2.5 可燃气体和甲、乙类液体管道严禁穿过防火墙，防火墙内不应设置排气道。防火墙或防火隔墙上不应设置通风孔道，也不宜穿过其他管道(线)；当管道(线)穿过防火墙或防火隔墙时，应采用防火封堵材料将孔洞周围的空隙紧密填塞。

5.2.6 防火墙或防火隔墙上不宜开设门、窗、洞口，当必须开设时，应设置甲级防火门、窗或耐火极限不低于3.00h的防火卷帘。

5.2.7 设置在车道上的防火卷帘的耐火极限，应符合现行国家标准《门和卷帘的耐火试验方法》GB/T 7633有关耐火完整性的判定标准；设置在停车区域上的防火卷帘的耐火极限，应符合现行国家标准《门和卷帘的耐火试验方法》GB/T 7633有关耐火完整性和耐火隔热性的判定标准。

5.3 电梯井、管道井和其他防火构造

5.3.1 电梯井、管道井、电缆井和楼梯间应分别独立设置。管道井、电缆井的井壁应采用不燃材料，且耐火极限不应低于1.00h；电梯井的井壁应采用不燃材料，且耐火极限不应低于2.00h。

5.3.2 电缆井、管道井应在每层楼板处采用不燃材料或防火封堵材料进行分隔，且分隔后的耐火极限不应低于楼板的耐火极限，井壁上的检查门应采用丙级防火门。

5.3.3 除敞开式汽车库、斜楼板式汽车库外，其他汽车库内的汽车坡道两侧应采用防火墙与停车区隔开，坡道的出入口应采用水幕、防火卷帘或甲级防火门等与停车区隔开；但当汽车库和汽车坡道上均设置自动灭火系统时，坡道的出入口可不设置水幕、防火卷帘或甲级防火门。

5.3.4 汽车库、修车库的内部装修，应符合现行国家标准《建筑内部装修设计防火规范》GB 50222 的有关规定。

6 安全疏散和救援设施

6.0.1 汽车库、修车库的人员安全出口和汽车疏散出口应分开设置。设置在工业与民用建筑内的汽车库，其车辆疏散出口应与其他场所的人员安全出口分开设置。

6.0.2 除室内无车道且无人员停留的机械式汽车库外，汽车库、修车库内每个防火分区的人员安全出口不应少于2个，Ⅳ类汽车库和Ⅲ、Ⅳ类修车库可设置1个。

6.0.3 汽车库、修车库的疏散楼梯应符合下列规定：

1 建筑高度大于32m的高层汽车库、室内地面与室外出入口地坪的高差大于10m的地下汽车库应采用防烟楼梯间，其他汽车库、修车库应采用封闭楼梯间；

2 楼梯间和前室的门应采用乙级防火门，并应向疏散方向开启；

3 疏散楼梯的宽度不应小于1.1m。

6.0.4 除室内无车道且无人员停留的机械式汽车库外，建筑高度大于32m的汽车库应设置消防电梯。消防电梯的设置应符合现行国家标准《建筑设计防火规范》GB 50016的有关规定。

6.0.5 室外疏散楼梯可采用金属楼梯，并应符合下列规定：

1 倾斜角度不应大于45°，栏杆扶手的高度不应小于1.1m；

2 每层楼梯平台应采用耐火极限不低于1.00h的不燃材料制作；

3 在室外楼梯周围2m范围内的墙面上，不应开设除疏散门外的其他门、窗、洞口；

4 通向室外楼梯的门应采用乙级防火门。

6.0.6 汽车库室内任一点至最近人员安全出口的疏散距离不应

大于45m，当设置自动灭火系统时，其距离不应大于60m。对于单层或设置在建筑首层的汽车库，室内任一点至室外最近出口的疏散距离不应大于60m。

6.0.7 与住宅地下室相连通的地下汽车库、半地下汽车库，人员疏散可借用住宅部分的疏散楼梯；当不能直接进入住宅部分的疏散楼梯间时，应在汽车库与住宅部分的疏散楼梯之间设置连通走道，走道应采用防火隔墙分隔，汽车库开向该走道的门均应采用甲级防火门。

6.0.8 室内无车道且无人员停留的机械式汽车库可不设置人员安全出口，但应按下列规定设置供灭火救援用的楼梯间：

1 每个停车区域当停车数量大于100辆时，应至少设置1个楼梯间；

2 楼梯间与停车区域之间应采用防火隔墙进行分隔，楼梯间的门应采用乙级防火门；

3 楼梯的净宽不应小于0.9m。

6.0.9 除本规范另有规定外，汽车库、修车库的汽车疏散出口总数不应少于2个，且应分散布置。

6.0.10 当符合下列条件之一时，汽车库、修车库的汽车疏散出口可设置1个：

1 Ⅳ类汽车库；

2 设置双车道汽车疏散出口的Ⅲ类地上汽车库；

3 设置双车道汽车疏散出口、停车数量小于或等于100辆且建筑面积小于4000m² 的地下或半地下汽车库；

4 Ⅱ、Ⅲ、Ⅳ类修车库。

6.0.11 Ⅰ、Ⅱ类地上汽车库和停车数量大于100辆的地下、半地下汽车库，当采用错层或斜楼板式，坡道为双车道且设置自动喷水灭火系统时，其首层或地下一层至室外的汽车疏散出口不应少于2个，汽车库内其他楼层的汽车疏散坡道可设置1个。

6.0.12 Ⅳ类汽车库设置汽车坡道有困难时，可采用汽车专用升降机作汽车疏散出口，升降机的数量不应少于2台，停车数量少于25辆时，可设置1台。

6.0.13 汽车疏散坡道的净宽度，单车道不应小于3.0m，双车道不应小于5.5m。

6.0.14 除室内无车道且无人员停留的机械式汽车库外，相邻两个汽车疏散出口之间的水平距离不应小于10m；毗邻设置的两个汽车坡道应采用防火隔墙分隔。

6.0.15 停车场的汽车疏散出口不应少于2个；停车数量不大于50辆时，可设置1个。

6.0.16 除室内无车道且无人员停留的机械式汽车库外，汽车库内汽车之间和汽车与墙、柱之间的水平距离，不应小于表6.0.16的规定。

表6.0.16 汽车之间和汽车与墙、柱之间的水平距离(m)

项目	汽车尺寸(m)			
	车长≤6或车宽≤1.8	6<车长≤8或1.8<车宽≤2.2	8<车长≤12或2.2<车宽≤2.5	车长>12或车宽>2.5
汽车与汽车	0.5	0.7	0.8	0.9
汽车与墙	0.5	0.5	0.5	0.5
汽车与柱	0.3	0.3	0.4	0.4

注：当墙、柱外有暖气片等突出物时，汽车与墙、柱之间的水平距离应从其凸出部分外缘算起。

7 消防给水和灭火设施

7.1 消防给水

7.1.1 汽车库、修车库、停车场应设置消防给水系统。消防给水可由市政给水管道、消防水池或天然水源供给。利用天然水源时，应设置可靠的取水设施和通向天然水源的道路，并应在枯水期最低水位时，确保消防用水量。

7.1.2 符合下列条件之一的汽车库、修车库、停车场，可不设置消防给水系统：

1 耐火等级为一、二级且停车数量不大于5辆的汽车库；

2 耐火等级为一、二级的Ⅳ类修车库；

3 停车数量不大于5辆的停车场。

7.1.3 当室外消防给水采用高压或临时高压给水系统时，汽车库、修车库、停车场消防给水管道内的压力应保证在消防用水量达到最大时，最不利点水枪的充实水柱不小于10m；当室外消防给水采用低压给水系统时，消防给水管道内的压力应保证灭火时最不利点消火栓的水压不小于0.1MPa(从室外地面算起)。

7.1.4 汽车库、修车库的消防用水量应按室内、外消防用水量之和计算。其中，汽车库、修车库内设置消火栓、自动喷水、泡沫等灭火系统时，其室内消防用水量应按需要同时开启的灭火系统用水量之和计算。

7.1.5 除本规范另有规定外，汽车库、修车库、停车场应设置室外消火栓系统，其室外消防用水量应按消防用水量最大的一座计算，并应符合下列规定：

1 Ⅰ、Ⅱ类汽车库、修车库、停车场，不应小于20L/s；

2 Ⅲ类汽车库、修车库、停车场，不应小于15L/s；

3 Ⅳ类汽车库、修车库、停车场，不应小于10L/s。

7.1.6 汽车库、修车库、停车场的室外消防给水管道、室外消火栓、消防泵房的设置，应符合现行国家标准《消防给水及消火栓系统技术规范》GB 50974 的有关规定。

停车场的室外消火栓宜沿停车场周边设置，且距离最近一排汽车不宜小于 7m，距加油站或油库不宜小于 15m。

7.1.7 室外消火栓的保护半径不应大于 150m，在市政消火栓保护半径 150m 范围内的汽车库、修车库、停车场，市政消火栓可计入建筑室外消火栓的数量。

7.1.8 除本规范另有规定外，汽车库、修车库应设置室内消火栓系统，其消防用水量应符合下列规定：

1 Ⅰ、Ⅱ、Ⅲ类汽车库及Ⅰ、Ⅱ类修车库的用水量不应小于 10L/s，系统管道内的压力应保证相邻两个消火栓的水枪充实水柱同时到达室内任何部位；

2 Ⅳ类汽车库及Ⅲ、Ⅳ类修车库的用水量不应小于 5L/s，系统管道内的压力应保证一个消火栓的水枪充实水柱到达室内任何部位。

7.1.9 室内消火栓水枪的充实水柱不应小于 10m。同层相邻室内消火栓的间距不应大于 50m，高层汽车库和地下汽车库、半地下汽车库室内消火栓的间距不应大于 30m。

室内消火栓应设置在易于取用的明显地点，栓口距离地面宜为 1.1m，其出水方向宜向下或与设置消火栓的墙面垂直。

7.1.10 汽车库、修车库的室内消火栓数量超过 10 个时，室内消防管道应布置成环状，并应有两条进水管与室外管道相连接。

7.1.11 室内消防管道应采用阀门分成若干独立段，每段内消火栓不应超过 5 个。高层汽车库内管道阀门的布置，应保证检修管道时关闭的竖管不超过 1 根，当竖管超过 4 根时，可关闭不相邻的 2 根。

7.1.12 4 层以上的多层汽车库、高层汽车库和地下、半地下汽车库，其室内消防给水管网应设置水泵接合器。水泵接合器的数量应按室内消防用水量计算确定，每个水泵接合器的流量应按 10L/s～15L/s 计算。水泵接合器应设置明显的标志，并应设置在便于消防车停靠和安全使用的地点，其周围15m～40m范围内应设室外消火栓或消防水池。

7.1.13 设置高压给水系统的汽车库、修车库，当能保证最不利点消火栓和自动喷水灭火系统等的水量和水压时，可不设置消防水箱。

设置临时高压消防给水系统的汽车库、修车库，应设置屋顶消防水箱，其容量不应小于12m³，并应符合现行国家标准《消防给水及消火栓系统技术规范》GB 50974的有关规定。消防用水与其他用水合用的水箱，应采取保证消防用水不作他用的技术措施。

7.1.14 采用临时高压消防给水系统的汽车库、修车库，其消防水泵的控制应符合现行国家标准《消防给水及消火栓系统技术规范》GB 50974的有关规定。

7.1.15 采用消防水池作为消防水源时，其有效容量应满足火灾延续时间内室内、外消防用水量之和的要求。

7.1.16 火灾延续时间应按2.00h计算，但自动喷水灭火系统可按1.00h计算，泡沫灭火系统可按0.50h计算。当室外给水管网能确保连续补水时，消防水池的有效容量可减去火灾延续时间内连续补充的水量。

7.1.17 供消防车取水的消防水池应设置取水口或取水井，其水深应保证消防车的消防水泵吸水高度不大于6m。消防用水与其他用水共用的水池，应采取保证消防用水不作他用的技术措施。严寒或寒冷地区的消防水池应采取防冻措施。

7.2 自动灭火系统

7.2.1 除敞开式汽车库、屋面停车场外，下列汽车库、修车库应设置自动灭火系统：

1 Ⅰ、Ⅱ、Ⅲ类地上汽车库；

2 停车数大于10辆的地下、半地下汽车库；

3 机械式汽车库；

4　采用汽车专用升降机作汽车疏散出口的汽车库；

5　Ⅰ类修车库。

7.2.2　对于需要设置自动灭火系统的场所，除符合本规范第7.2.3条、第7.2.4条的规定可采用相应类型的灭火系统外，应采用自动喷水灭火系统。

7.2.3　下列汽车库、修车库宜采用泡沫—水喷淋系统，泡沫—水喷淋系统的设计应符合现行国家标准《泡沫灭火系统设计规范》GB 50151的有关规定：

1　Ⅰ类地下、半地下汽车库；

2　Ⅰ类修车库；

3　停车数大于100辆的室内无车道且无人员停留的机械式汽车库。

7.2.4　地下、半地下汽车库可采用高倍数泡沫灭火系统。停车数量不大于50辆的室内无车道且无人员停留的机械式汽车库，可采用二氧化碳等气体灭火系统。高倍数泡沫灭火系统、二氧化碳等气体灭火系统的设计，应符合现行国家标准《泡沫灭火系统设计规范》GB 50151、《二氧化碳灭火系统设计规范》GB 50193和《气体灭火系统设计规范》GB 50370的有关规定。

7.2.5　环境温度低于4℃时间较短的非严寒或寒冷地区，可采用湿式自动喷水灭火系统，但应采取防冻措施。

7.2.6　设置在汽车库、修车库内的自动喷水灭火系统，其设计除应符合现行国家标准《自动喷水灭火系统设计规范》GB 50084的有关规定外，喷头布置还应符合下列规定：

1　应设置在汽车库停车位的上方或侧上方，对于机械式汽车库，尚应按停车的载车板分层布置，且应在喷头的上方设置集热板；

2　错层式、斜楼板式汽车库的车道、坡道上方均应设置喷头。

7.2.7　除室内无车道且无人员停留的机械式汽车库外，汽车库、修车库、停车场均应配置灭火器。灭火器的配置设计应符合现行国家标准《建筑灭火器配置设计规范》GB 50140的有关规定。

8 供暖、通风和排烟

8.1 供暖和通风

8.1.1 汽车库、修车库、停车场内不得采用明火取暖。

8.1.2 需要供暖的下列汽车库或修车库，应采用集中供暖方式：

1 甲、乙类物品运输车的汽车库；

2 Ⅰ、Ⅱ、Ⅲ类汽车库；

3 Ⅰ、Ⅱ类修车库。

8.1.3 Ⅳ类汽车库，Ⅲ、Ⅳ类修车库，当集中供暖有困难时，可采用火墙供暖，但其炉门、节风门、除灰门不得设置在汽车库、修车库内。

8.1.4 喷漆间、电瓶间均应设置独立的排气系统。乙炔站的通风系统设计，应符合现行国家标准《乙炔站设计规范》GB 50031 的有关规定。

8.1.5 设置通风系统的汽车库，其通风系统宜独立设置。

8.1.6 风管应采用不燃材料制作，且不应穿过防火墙、防火隔墙，当必须穿过时，除应符合本规范第 5.2.5 条的规定外，尚应符合下列规定：

1 应在穿过处设置防火阀，防火阀的动作温度宜为 70℃；

2 位于防火墙、防火隔墙两侧各 2m 范围内的风管绝热材料应为不燃材料。

8.2 排　　烟

8.2.1 除敞开式汽车库、建筑面积小于 1000m² 的地下一层汽车库和修车库外，汽车库、修车库应设置排烟系统，并应划分防烟分区。

8.2.2 防烟分区的建筑面积不宜大于 2000m²，且防烟分区不应跨越防火分区。防烟分区可采用挡烟垂壁、隔墙或从顶棚下突出不小于 0.5m 的梁划分。

8.2.3 排烟系统可采用自然排烟方式或机械排烟方式。机械排烟系统可与人防、卫生等的排气、通风系统合用。

8.2.4 当采用自然排烟方式时，可采用手动排烟窗、自动排烟窗、孔洞等作为自然排烟口，并应符合下列规定：

1 自然排烟口的总面积不应小于室内地面面积的 2%；

2 自然排烟口应设置在外墙上方或屋顶上，并应设置方便开启的装置；

3 房间外墙上的排烟口（窗）宜沿外墙周长方向均匀分布，排烟口（窗）的下沿不应低于室内净高的 1/2，并应沿气流方向开启。

8.2.5 汽车库、修车库内每个防烟分区排烟风机的排烟量不应小于表 8.2.5 的规定。

表 8.2.5 汽车库、修车库内每个防烟分区排烟风机的排烟量

汽车库、修车库的净高(m)	汽车库、修车库的排烟量(m^3/h)	汽车库、修车库的净高(m)	汽车库、修车库的排烟量(m^3/h)
3.0 及以下	30000	7.0	36000
4.0	31500	8.0	37500
5.0	33000	9.0	39000
6.0	34500	9.0 以上	40500

注：建筑空间净高位于表中两个高度之间的，按线性插值法取值。

8.2.6 每个防烟分区应设置排烟口，排烟口宜设在顶棚或靠近顶棚的墙面上。排烟口距该防烟分区内最远点的水平距离不应大于 30m。

8.2.7 排烟风机可采用离心风机或排烟轴流风机，并应保证 280℃时能连续工作 30min。

8.2.8 在穿过不同防烟分区的排烟支管上应设置烟气温度大于

280℃时能自动关闭的排烟防火阀，排烟防火阀应联锁关闭相应的排烟风机。

8.2.9 机械排烟管道的风速，采用金属管道时不应大于20m/s；采用内表面光滑的非金属材料风道时，不应大于15m/s。排烟口的风速不宜大于10m/s。

8.2.10 汽车库内无直接通向室外的汽车疏散出口的防火分区，当设置机械排烟系统时，应同时设置补风系统，且补风量不宜小于排烟量的50％。

9 电 气

9.0.1 消防水泵、火灾自动报警系统、自动灭火系统、防排烟设备、电动防火卷帘、电动防火门、消防应急照明和疏散指示标志等消防用电设备，以及采用汽车专用升降机作车辆疏散出口的升降机用电，应符合下列规定：

1 Ⅰ类汽车库、采用汽车专用升降机作车辆疏散出口的升降机用电应按一级负荷供电；

2 Ⅱ、Ⅲ类汽车库和Ⅰ类修车库应按二级负荷供电；

3 Ⅳ类汽车库和Ⅱ、Ⅲ、Ⅳ类修车库可采用三级负荷供电。

9.0.2 按一、二级负荷供电的消防用电设备的两个电源或两个回路，应能在最末一级配电箱处自动切换。消防用电设备的配电线路应与其他动力、照明等配电线路分开设置。消防用电设备应采用专用供电回路，其配电设备应有明显标志。

9.0.3 消防用电的配电线路应满足火灾时连续供电的要求，其敷设应符合现行国家标准《建筑设计防火规范》GB 50016 的有关规定。

9.0.4 除停车数量不大于 50 辆的汽车库，以及室内无车道且无人员停留的机械式汽车库外，汽车库内应设置消防应急照明和疏散指示标志。用于疏散走道上的消防应急照明和疏散指示标志，可采用蓄电池作备用电源，但其连续供电时间不应小于 30min。

9.0.5 消防应急照明灯宜设置在墙面或顶棚上，其地面最低水平照度不应低于 1.0Lx。安全出口标志宜设置在疏散出口的顶部；疏散指示标志宜设置在疏散通道及其转角处，且距地面高度 1m 以下的墙面上。通道上的指示标志，其间距不宜大于 20m。

9.0.6 甲、乙类物品运输车的汽车库、修车库以及修车库内的喷漆间、电瓶间、乙炔间等室内电气设备的防爆要求，均应符合现行国家标准《爆炸危险环境电力装置设计规范》GB 50058 的有关规定。

9.0.7 除敞开式汽车库、屋面停车场外，下列汽车库、修车库应设置火灾自动报警系统：

1 Ⅰ类汽车库、修车库；

2 Ⅱ类地下、半地下汽车库、修车库；

3 Ⅱ类高层汽车库、修车库；

4 机械式汽车库；

5 采用汽车专用升降机作汽车疏散出口的汽车库。

9.0.8 气体灭火系统、泡沫—水喷淋系统、高倍数泡沫灭火系统以及设置防火卷帘、防烟排烟系统的联动控制设计，应符合现行国家标准《火灾自动报警系统设计规范》GB 50116 等的有关规定。

9.0.9 设置火灾自动报警系统和自动灭火系统的汽车库、修车库，应设置消防控制室，消防控制室宜独立设置，也可与其他控制室、值班室组合设置。

本规范用词说明

1 为便于在执行本规范条文时区别对待，对要求严格程度不同的用词说明如下：

1) 表示很严格，非这样做不可的：
正面词采用“必须”，反面词采用“严禁”；

2) 表示严格，在正常情况下均应这样做的：
正面词采用“应”，反面词采用“不应”或“不得”；

3) 表示允许稍有选择，在条件许可时首先应这样做的：
正面词采用“宜”，反面词采用“不宜”；

4) 表示有选择，在一定条件下可以这样做的，采用“可”。

2 条文中指明应按其他有关标准执行的写法为：“应符合……的规定”或“应按……执行”。

引用标准名录

《建筑设计防火规范》GB 50016
《城镇燃气设计规范》GB 50028
《乙炔站设计规范》GB 50031
《爆炸危险环境电力装置设计规范》GB 50058
《石油库设计规范》GB 50074
《自动喷水灭火系统设计规范》GB 50084
《火灾自动报警系统设计规范》GB 50116
《建筑灭火器配置设计规范》GB 50140
《泡沫灭火系统设计规范》GB 50151
《汽车加油加气站设计与施工规范》GB 50156
《二氧化碳灭火系统设计规范》GB 50193
《建筑内部装修设计防火规范》GB 50222
《气体灭火系统设计规范》GB 50370
《消防给水及消火栓系统技术规范》GB 50974
《门和卷帘的耐火试验方法》GB/T 7633

中华人民共和国国家标准

汽车库、修车库、停车场设计防火规范

GB 50067 - 2014

条 文 说 明

修 订 说 明

《汽车库、修车库、停车场设计防火规范》GB 50067—2014，经住房城乡建设部2014年12月2日以第595号公告批准发布，原《汽车库、修车库、停车场设计防火规范》GB 50067—97同时废止。

本规范上一版的主编单位是上海市消防局，参编单位是上海市建筑设计研究院、上海市公共交通总公司建筑设计院，主要起草人是徐耀标、张永杰、纪武功、曾杰、潘丽、徐武歆、周秋琴、华清梅、南江林。

为便于广大设计、施工、科研、学校等单位有关人员在使用本规范时能正确理解和执行条文规定，《汽车库、修车库、停车场设计防火规范》编制组按章、节、条顺序编制了本规范的条文说明，对条文规定的目的、依据以及执行中需要注意的有关事项进行了说明，并着重对强制性条文的强制性理由作了解释。但是，本条文说明不具备与规范正文同等的法律效力，仅供使用者作为理解和把握规范规定的参考。

目　　次

1 总　　则

1.0.1 本条阐明了制定规范的目的和意义。

本规范是我国工程防火设计规范的一个组成部分，其目的是为我国汽车库建设的建筑防火设计提供依据，减少和防止火灾对汽车库、修车库、停车场的危害，保障社会主义经济建设的顺利进行和人民生命财产的安全。

停车问题是城市发展中出现的静态交通问题。静态交通是相对于动态交通而存在的一种交通形态，二者互相关联，互相影响。对城市中的车辆来说，行驶时为动态，停放时为静态。停车设施是城市静态交通的主要内容，包括露天停车场，各类汽车库、修车库等。因此，随着城市中各种车辆的增多，对停车设施的需求量不断增加。近几年来，大型汽车库的建设也在成倍增长，许多城市的政府部门都把建设配套汽车库作为工程项目审批的必备条件，并制订了相应的地方性行政法规予以保证。特别是近几年随着房地产开发经营的增多，在新建大楼中都配套建设了与大楼停车要求相适应的汽车库，由于城市用地紧张、地价昂贵，近年来新的汽车库均向高层和地下空间发展。

我国许多大城市，近年来车辆增长速度都比较快，一些特大城市，如北京、天津、上海、广州、武汉、沈阳、重庆等，虽然机动车的绝对数量与经济发达国家比仍有差距，但由于增长速度快，使原本已很落后的城市基础设施不能适应，加上对静态交通问题认识不足，停车设施的建设远远不能满足需要，致使城市停车问题日益尖锐，不仅停车困难，由于占用道路停车，使已经拥堵的城市动态交通进一步恶化。

根据国家统计局 2014 年统计公告，2014 年年末全国民用汽车保有量达到1.54亿辆，是2005年保有量的近5倍，从2005年的3100多万辆，10年间增长了1.23亿辆，年均增加1200多万辆。根据最新的统计，全国现有汽车保有量超过百万的城市已有35个，其中天津、上海、苏州、广州、杭州、郑州等10个城市超过200万辆，重庆、成都、深圳超过300万辆，北京超过500万辆。

1.0.2 本规范适用于新建、扩建和改建的汽车库、修车库、停车场的防火设计，其内容包括了民用建筑所属的汽车库和人防地下车库，这是因为现行国家标准《人民防空工程设计防火规范》GB 50098等规范中已明确规定，其汽车库防火设计按现行国家标准《汽车库、修车库、停车场设计防火规范》GB 50067的有关规定执行。由于国内目前新建的人防地下车库基本上都是平战两用的汽车库，这类车库除了应满足战时防护的要求，其他要求均与一般汽车库一样。

近年来，随着人民生活水平的提高，住宅、别墅的(半)地下室，底层设置供每个户型专用，不与其他户室共用疏散出口的停车位的情况越来越多。对于每户车位与每户车位之间、每户车位与住宅其他部位之间不能完全分隔的或不同住户的车位要共用室内汽车通道的情况，仍适用于本规范。

对于消防站的汽车库，由于在平面布置和建筑构造等要求上都有一些特殊要求，所以列入了本规范不适用的范围。

1.0.3 本条主要规定了汽车库、修车库、停车场建筑防火设计必须遵循的基本原则。

随着改革开放的不断深入，城市大量新建了与大楼配套的汽车库，且大都为地下汽车库，而北方内陆地区大都为地上汽车库，因此在汽车库、修车库、停车场的防火设计中，应从国家经济建设的全局出发，结合汽车库、修车库、停车场的实际情况，积极采用先进的防火与灭火技术，做到确保安全、方便使用、技术先进、经济合理。

1.0.4 汽车库、修车库、停车场建筑的防火设计，涉及的面较广，与现行国家标准《建筑设计防火规范》GB 50016、《乙炔站设计规范》GB 50031、《人民防空工程设计防火规范》GB 50098 和《城镇燃气设计规范》GB 50028等规范均有联系。本规范不可能，也没有必要把它们全部包括进来，为全面做好汽车库、修车库、停车场的防火设计，制订了本条文。

2 术　　语

2.0.4～2.0.9 这几条主要是指按各种分类标准确定的汽车库，由于分析角度不同，汽车库的分类有很多，通常主要有以下几种方法：

(1)按照数量划分，本规范第3章对汽车库的分类即按照其数量划分的。

(2)按照高度划分，一般可划分为：

1)地下汽车库(即第2.0.4条)。

汽车库与建筑物组合建造在地面以下的以及独立在地面以下建造的汽车库都称为地下汽车库，并按照地下汽车库的有关防火设计要求予以考虑。

2)半地下汽车库(即第2.0.5条)。

本次修订增加了“半地下汽车库”的概念。第2.0.4条和第2.0.5条条文中的净高一般是指层高和楼板厚度的差值。根据现行国家标准《民用建筑设计通则》GB 50352的规定，室内净高应按地面至吊顶或楼板底面之间的垂直高度计算；楼板或屋盖的下悬构件影响有效使用空间者，应按地面至结构下缘之间的垂直高度计算。

3)单层汽车库。

4)多层汽车库(即第2.0.6条)。

多层汽车库的定义包括两种类型：一种是汽车库自身高度小于或等于24m的两层及以上的汽车库；另一种是汽车库设在多层建筑内地面层以及地面层以上楼层的。这两种类型在防火设计上的要求基本相同，故定义在同一术语上。

5)高层汽车库(即第2.0.7条)。

高层汽车库的定义包括两种类型：一种是汽车库自身高度已大于 24m 的；另一种是汽车库自身高度虽未到 24m，但与高层工业或民用建筑在地面以上组合建造的。这两种类型在防火设计上的要求基本相同，故定义在同一术语上。

(3)按照停车方式的机械化程度可划分为：

1)机械式立体汽车库；

2)复式汽车库；

3)普通车道式汽车库。

机械式立体汽车库与复式汽车库都属于机械式汽车库。因此，为了概念更清晰，这次修订取消了“机械式立体汽车库”和“复式汽车库”的术语，统一为“机械式汽车库”(即第 2.0.8 条)。机械式汽车库是近年来新发展起来的一种利用机械设备提高单位面积停车数量的停车形式，主要分为两大类：一类是室内无车道且无人员停留的机械式立体汽车库，类似高架仓库，根据机械设备运转方式又可分为垂直循环式(汽车上、下移动)、电梯提升式(汽车上、下、左、右移动)、高架仓储式(汽车上、下、左、右、前、后移动)等；另一类是室内有车道且有人员停留的复式汽车库，机械设备只是类似于普通仓库的货架，根据机械设备的不同又可分为二层杠杆式、三层升降式、二/三层升降横移式等。

(4)按照汽车坡道可划分为：

1)楼层式汽车库；

2)斜楼板式汽车库(即汽车坡道与停车区同在一个斜面)；

3)错层式汽车库(即汽车坡道只跨越半层车库)；

4)交错式汽车库(即汽车坡道跨越两层车库)；

5)采用垂直升降机作为汽车疏散的汽车库。

(5)按照围封形式可划分为：

1)敞开式汽车库(即第 2.0.9 条)。

原国家标准《汽车库、修车库、停车场设计防火规范》GB 50067 定义的敞开式汽车库，外墙敞开面积占四周墙体总面积的比例为

25%，大于美国 NFPA 88A(98 版)的定义(按净高 3m 计算，约为 15%)，小于德国《汽车库建筑与运行规范》(97 版)的定义(约为 33%)。国外规范中均考虑开敞面布置的均匀性，以保持良好的自然通风与排烟条件。

美国 NFPA 88A《停车建筑消防标准》(2002 版)中规定，敞开式停车建筑是满足下列条件的停车建筑：①任一停车楼层上，外墙的对外开敞比例沿建筑外沿周长每延米不少于 0.4m^2；②这种类型的开敞至少沿建筑外沿在 40% 的周长上存在或至少平均分布在两面相对的外墙上；③任一道内隔墙或沿任一柱轴线，能起通风作用的开敞面积比例不低于 20%。

德国《汽车库建筑与运行规范》(MGarVO)中规定，敞开式汽车库是指车库直接通往外部的开口部分的面积占该车库四周围墙总面积至少三分之一，而且车库至少应有两面围墙是相对的，围墙与开口部分的距离不得大于 70m，车库应有持续的横向通风。敞开式小型汽车库是指车库直接与外部相连的开口的面积占该车库四周围墙总面积至少三分之一的小型汽车库。

本次修订时，参照以上规范加入开口布置的均匀性的要求。对不同类型、不同构造的汽车库，其汽车疏散、火灾扑救、经济价值的情况是不一样的，在进行设计时，既要满足其自身停车功能的要求，也要合适地提出防火设计要求。

2)封闭式汽车库，即除敞开式汽车库之外的汽车库。

3 分类和耐火等级

3.0.1 汽车库的分类参照了苏联《汽车库设计标准和技术规范》H113－54的有关条文以及我国汽车库的实际情况。

与原国家标准《汽车库、修车库、停车场设计防火规范》GB 50067相比，汽车库、修车库、停车场的分类还是四类，而且每类汽车库、修车库、停车场的泊位数控制值也一样。汽车库、修车库、停车场的分类按停车数量的多少划分是符合我国国情的，这是因为汽车库、修车库、停车场建筑发生火灾后确定火灾损失的大小，主要是按烧毁车库中车辆的多少确定的。按停车数量划分车库类别，可便于按类别提出车库的耐火等级、防火间距、防火分隔、消防给水、火灾报警等要求。

据统计，一般汽车库每个停车泊位约占建筑面积$30m^2$～$40m^2$，50辆(含)以下的车库一般$40m^2$/辆，50辆以上的车库一般$33.3m^2$/辆，故此次修订增加了建筑面积的控制值，目的是为了使得停车数量与停车面积相匹配，合理地进行分类。泊位数控制值及建筑面积控制值两项限值应从严执行，即先到哪项就按该项执行。

注1与原国家标准《汽车库、修车库、停车场设计防火规范》GB 50067基本相同，是指一些楼层的汽车库，为了充分利用停车面积，在停车库的屋面露天停放车辆，当屋面停车场与室内停车库共用疏散坡道时，车库分类按泊位数量的限值应将屋面停车数计入总泊位数内，但面积可以不计入车库的建筑面积内。这是因为屋顶车辆与车库内的车辆是共用一个上下的车道，屋顶车辆发生火灾对汽车库同样也会有影响，应作为汽车库的整体来考虑。如在其建筑的屋顶上单独设置汽车坡道停车，可按露天停车场考虑。

3.0.2 原国家标准《汽车库、修车库、停车场设计防火规范》GB 50067对汽车库和修车库耐火等级的规定是符合国情的。本条的耐火等级以现行国家标准《建筑设计防火规范》GB 50016的规定为基准，结合汽车库的特点，增加了“防火隔墙”一项，防火隔墙比防火墙的耐火时间短，比一般分隔墙的耐火时间要长，且不必按防火墙的要求必须砌筑在梁或基础上，只需从楼板砌筑至顶板，这样分隔也较自由。这些都是鉴于汽车库内的火灾负载较少而提出的防火分隔措施，具体实践证明还是可行的。

本次修订参照现行国家标准《建筑设计防火规范》GB 50016的规定，将“支承多层的柱”和“支承单层的柱”统一成“柱”。

建筑物的耐火等级决定着建筑抗御火灾的能力，耐火等级是由相应建筑构件的耐火极限和燃烧性能决定的，必须明确汽车库、修车库的耐火等级分类以及构件的燃烧性能和耐火极限，所以将此条确定为强制性条文。

3.0.3 本条对各类汽车库、修车库的耐火等级分别作了相应的规定。

1 地下、半地下汽车库发生火灾时，因缺乏自然通风和采光，扑救难度大，火势易蔓延，同时由于结构、防火等的需要，此类汽车库通常为钢筋混凝土结构，可达一级耐火等级要求，所以不论其停车数量多少，其耐火等级不应低于一级是可行的。

高层汽车库的耐火等级也应为一级，主要考虑到高层汽车库发生火灾时，扑救难度大，火势易蔓延，同时由于结构、防火等的需要，通常为钢筋混凝土结构，可达到一级耐火等级要求。

2 甲、乙类物品运输车由于槽罐内有残存物品，危险性高，本次修订将甲、乙类物品运输车的汽车库、修车库的耐火等级由二级提升为一级。

3 Ⅱ、Ⅲ类汽车库停车数量较多，一旦遭受火灾，损失较大；Ⅱ、Ⅲ类修车库有修理车位3个以上，并配设各种辅助工间，起火因素较多，如耐火等级偏低，一旦起火，火势容易延烧扩大，导致大面积火灾，因此这些汽车库、修车库均应采用不低于二级耐火等级的建筑。

近年来在北京、深圳、上海等地发展了机械式立体停车库，这类汽车库占地面积小，采用机械化升降停放车辆，充分利用空间面积。汽车库建筑的结构多为钢筋混凝土，内部的停车支架、托架均为钢结构。国外的一些资料介绍，这类汽车库的结构采用全钢结构的较多，但由于停车数量少，内部的消防设施全，火灾危险性较小。为了适应新型汽车库的发展，对这类汽车库的耐火等级未作特殊要求，但如采用全钢结构，其梁、柱等承重构件均应进行防火处理，满足三级耐火等级的要求。同时我们也希望生产厂家能对设备主要承受支撑力的构件作防火处理，提高自身的耐火性能。

本条根据不同的汽车库、修车库的重要程度，明确了相对应的耐火等级要求，也就保证了建筑抗御火灾的能力，否则，汽车库、修车库一旦发生火灾，不仅难以扑救，而且可能造成重大的人员伤亡和财产损失，所以将此条确定为强制性条文。

确定汽车库、修车库的耐火等级应该坚持从严原则。比如，一个停车数量为160辆的汽车库，按照第3.0.1条规定属于Ⅱ类汽车库；同时，该汽车库设置在一幢高层建筑内，又属于高层汽车库，按照从严原则，该汽车库的耐火等级应为一级。

4 总平面布局和平面布置

4.1 一 般 规 定

4.1.2 本条规定不应将汽车库、修车库、停车场布置在易燃、可燃液体或可燃气体的生产装置区和贮存区内，这对保证防火安全是非常必要的。国内外石油装置的火灾是不少的，如某市化工厂丁二烯气体泄漏，汽车驶入该区域引起爆燃，造成了重大伤亡事故。据原化工部设计院对10个大型石油化工厂的调查，他们的汽车库都是设在生产辅助区或生活区内。

4.1.3 本条对汽车库与一般工业建筑的组合或贴邻不作严格限制规定，只对与甲、乙类易燃易爆危险品生产车间，甲、乙类仓库等较特殊建筑的组合建造作了严格限制。这是由于此类车间、仓库在生产和储存过程中产生易燃易爆物质，遇明火或电气火花将燃烧、爆炸，所以规定不应贴邻或组合建造。

汽车库具有人员流动大、致灾因素多等特点，一旦与火灾危险性大的甲、乙类厂房及仓库贴邻或组合建造，极易发生火灾事故，必须严格限制，所以将此条确定为强制性条文。

4.1.4 幼儿、老人、中小学生、病人疏散能力差，汽车库不应与托儿所、幼儿园，老年人建筑，中小学校的教学楼，病房楼等组合建造。但是考虑到地下汽车库是城市建设的发展方向，为增强安全性，规范对此类情况作出了相关的要求。设置在托儿所、幼儿园，老年人建筑，中小学校的教学楼，病房楼等的地下部分，主要是指设置在室外地平面±0.000以下部分的汽车库。

4.1.5 甲、乙类物品运输车在停放或修理时有时有残留的易燃液体和可燃气体，漂浮在地面上或散发在室内，遇到明火就会燃烧、爆炸。其汽车库、修车库如与其他建筑组合建造或附建在其他建筑物底层，一旦发生爆燃，就会威胁上层结构安全，扩大灾情。所以，对甲、乙类物品运输车的汽车库、修车库强调单层独立建造。但对停车数不大于3辆的甲、乙类物品运输车的汽车库、修车库，在有防火墙隔开的条件下，允许与一、二级耐火等级的Ⅳ类汽车库贴邻建造。

4.1.6 Ⅰ类修车库的特点是车位多、维修任务量大，为了保养和修理车辆方便，在一幢建筑内往往包括很多工种，并经常需要进行明火作业和使用易燃物品，如用汽油清洗零件、喷漆时使用有机溶剂等，火灾危险性大。为保障安全，本条规定Ⅰ类修车库应单独建造。

目前国内已有的大中型修车库一般都是单独建造的。但如不考虑修车库类别，不加区别地一律要求单独建造也不符合节约用地、节省投资的精神，故本条对Ⅱ、Ⅲ、Ⅳ类修车库允许有所机动，可与没有明火作业的丙、丁、戊类危险性生产厂房、仓库及一、二级耐火等级的一般民用建筑(除托儿所、幼儿园、中小学校的教学楼，老年人建筑，病房楼及人员密集场所，如商场，展览、餐饮、娱乐场所等)贴邻建造或附设在建筑底层，但必须用防火墙、楼板、防火挑檐等结构进行分隔，以保证安全。

4.1.7 根据甲类危险品库及乙炔发生间、喷漆间、充电间以及其他甲类生产场所的火灾危险性的特点，这类房间应该与其他建筑保持一定的防火间距。调查中发现有不少汽车库为了适应汽车保养、修理、生产工艺的需要，将上述生产场所贴邻建造在汽车库的一侧。为了保障安全，有利生产，并考虑节约用地，根据《建筑设计防火规范》GB 50016有关条文的规定，对为修理、保养车辆服务，且规模较小的生产工间，作了可以贴邻建造的规定。

根据目前国内乙炔发生器逐步淘汰而以瓶装乙炔气代替的状况，条文中对乙炔气瓶库进行了规定。每标准钢瓶乙炔气贮量相当于0.9m^3的乙炔气，故按5瓶相当于5m^3计算，对一些地区目前仍用乙炔发生器的，短期内还要予以照顾，故仍保留“乙炔发生器间”一词。

超过1个车位的非封闭喷漆间或超过2个车位的封闭喷漆间，应独立建造，并保持一定的防火间距。

根据调查，原国家标准《汽车库、修车库、停车场设计防火规范》GB 50067 规定的充电间及其他甲类生产场所的面积已不适应现实需求，故此次修订适当扩大到 200m^2。其他甲类生产场所主要是指与汽车修理有关的甲类修理工段。

4.1.8 汽车的修理车位不可避免的要有明火作业和使用易燃物品，火灾危险性较大。而地下汽车库、半地下汽车库一般通风条件较差，散发的可燃气体或蒸气不易排除，遇火源极易引起燃烧爆炸，一旦失火，难以疏散扑救。喷漆间容易产生有机溶剂的挥发蒸气，电瓶充电时容易产生氢气，乙炔气是很危险的可燃气体，它的爆炸下限（体积比）为 2.5%，上限为 81%，汽油的爆炸下限为 1.2%～1.4%，上限为 6%，喷漆中的二甲苯爆炸下限（体积比）为 0.9%，上限为 7%，上述均为易燃易爆的气体。为了确保地下、半地下汽车库的消防安全，进行限制是必须的。

4.1.9 汽油罐、加油机、液化石油气或液化天然气储罐、加气机容易挥发出可燃蒸气和达到爆炸浓度而引发火灾、爆炸事故，如某市出租汽车公司有一个遗留下来的加油站，该站设在一个汽车库内，职工反映平时加油时要采取紧急措施，实行三停，即停止库内用电，停止库内食堂用火，停止库内汽车出入。该站曾经因为加油时大量可燃蒸气扩散在室内，遇到明火、电气火花发生燃烧事故。因此，从安全角度考虑，本条规定汽油罐、加油机、液化石油气或液化天然气储罐、加气机不应设在汽车库和修车库内是合适的。

4.1.10 易燃液体，比重大于空气的可燃气体、可燃蒸气，一旦泄漏，极易在地面流淌，或浮沉在地面等低洼处，如果设置地下室或地沟，则容易形成积聚，一旦达到爆炸极限，遇明火将会导致燃烧爆炸。

4.1.11 燃油或燃气锅炉、油浸变压器、充有可燃油的高压电容器和多油开关等设备失灵或操作不慎时，将有可能发生爆炸，故不应在汽车库、修车库内安装使用，如受条件限制必须设置时，应符合现行国家标准《建筑设计防火规范》GB 50016 的有关规定。这样规定是为了尽量减小发生火灾爆炸带来的危险性和发生事故的几率。可燃油油浸变压器发生故障产生电弧时，将使变压器内的绝缘油迅速发生热分解，析出氢气、甲烷、乙烯等可燃气体，压力剧增，造成外壳爆炸、大量喷油或者析出的可燃气体与空气混合形成爆炸混合物，在电弧或火花的作用下引起燃烧爆炸。变压器爆炸后，高温的变压器油流到哪里就会燃烧到哪里。充有可燃油的高压电容器、多油开关等，也有较大火灾危险性，故对可燃油油浸变压器等也作了相应的限制。对干式的或不燃液体的变压器，因其火灾危险性小，不易发生火灾，故本条未作限制。

4.1.12 在汽车库、修车库、停车场内，一般都配备各种消防器材，对预防和扑救火灾起到了很好的作用。我们在调查中发现，有不少大型汽车库、停车场内的消防器材没有专门的存放、管理和维护房间，不但平时维护保养困难，更新用的消防器材也无处存放，一旦发生火灾，将贻误灭火时机。因此本条根据消防安全需要，规定了停车数量较多的Ⅰ、Ⅱ类汽车库、停车场要设置专门的消防器材间，此消防器材间是消防员的工作室和对灭火器等消防器材进行定期保养、换药、检修的场所。

4.2 防 火 间 距

4.2.1 造成火灾蔓延的因素很多，如飞火、热对流、热辐射等。确定防火间距，主要以防热辐射为主，即在着火后，不应由于间距过小，火从一幢建筑物向另一幢建筑物蔓延，并且不应影响消防人员正常的扑救活动。

根据汽车使用易燃、可燃液体为燃料容易引起火灾的特点，结合多年贯彻实施国家标准《建筑设计防火规范》GB 50016 和消防灭火战斗的实际经验，汽车库、修车库按一般厂房的防火要求考虑，汽车库、修车库与一、二级耐火等级建筑物之间，在火灾初期有10m左右的间距，一般能满足扑救的需要和防止火势的蔓延。高度大于24m的汽车库发生火灾时需使用登高车灭火抢救，间距需大些。露天停车场由于自然条件好，汽油蒸气不易积聚，遇明火发生事故的机会要少一些，发生火灾时进行扑救和车辆疏散条件较室内有利，对建筑物的威胁亦较小。所以，停车场与其他建筑物的防火间距作了相应减少。

与现行国家标准《建筑设计防火规范》GB 50016相对应，将本条中的"库房"改为"仓库"。

本条注1规定，防火间距应按相邻建筑物外墙的最近距离算起，如外墙有凸出的可燃物构件时，则应从其凸出部分外缘算起。

防火间距是在火灾情况下减少火势向不同建筑蔓延的有效措施，防火间距的要求是总平面布局上最重要的防火设计内容之一，如果相邻建筑之间不能保证足够的防火间距，火势难以得到有效的控制，所以将本条确定为强制性条文。

4.2.2 本条将原国家标准《汽车库、修车库、停车场设计防火规范》GB 50067的第4.2.2条～第4.2.4条合并成一条，并参照现行国家标准《建筑设计防火规范》GB 50016的规定。

4.2.3 本条是此次修订的新增条款，目的是规定停车场与一、二级耐火等级建筑贴邻时，防火间距在满足条件的情况下可以不限。对于无围护结构的机械式停车装置，可以视作停车场。需要说明的是，对于地面停车场，汽车都是停在地面，停车部位比较容易理解，对于机械式停车装置，停车部位应该从停留在最高处的车辆部位算起。

4.2.4 本条是参照现行国家标准《建筑设计防火规范》GB 50016的有关规定提出的。在汽车发动和行驶过程中，都可能产生火花，过去由于这些火花引起的甲、乙类物品仓库等发生火灾事故是不少的。例如，某市在一次扑救火灾事故中，由于一辆消防车误入生产装置泄漏出的丁二烯气体区域，引起爆炸，当场烧伤10名消防员，烧死1名驾驶员。因此，规定车库与火灾危险性较大的甲类物品仓库之间留出一定的防火间距是很有必要的。

汽车库、修车库、停车场人员流动大、致灾因素多，甲类物品仓库火灾危险性大，二者必须留有足够的防火间距，所以将本条确定为强制性条文。

4.2.5 确定甲、乙类物品运输车的汽车库、修车库、停车场与相邻厂房、库房的防火间距，主要是因为这类汽车库、修车库、停车场一旦发生火灾，燃烧、爆炸的危险性较大，因此，适当加大防火间距是必要的。修订组研究了一些火灾实例后认为，甲、乙类物品运输车的汽车库、修车库、停车场与民用建筑和有明火或散发火花地点的防火间距采用25m～30m，与重要公共建筑的防火间距采用50m是适当的，这与现行国家标准《建筑设计防火规范》GB 50016也是相吻合的。

甲、乙类物品火灾危险性大，一旦遇明火或火花极易发生爆炸事故，造成重大人员伤亡和财产损失，必须对甲、乙类物品运输车的汽车库、修车库、停车场与周围建筑的防火间距，尤其是对与民用建筑及重要公共建筑的防火间距严格规定，以免相互影响；同时必须对明火或散发火花地点等部位严格规定，以免由明火或火花引燃甲、乙类物品造成危险，所以将本条确定为强制性条文。

4.2.6 本条根据现行国家标准《建筑设计防火规范》GB 50016有关易燃液体储罐、可燃液体储罐、可燃气体储罐、液化石油气储罐与建筑物的防火间距作出相应规定。

4.2.7 本条主要规定了汽车库、修车库、停车场与可燃材料堆场的防火间距。由于可燃材料是露天堆放的，火灾危险性大，汽车使用的燃料也有较大危险，因此，本条对汽车库、修车库、停车场与可燃材料堆场的防火间距参照现行国家标准《建筑设计防火规范》GB 50016的有关内容作了相应规定。

4.2.8 由于燃气调压站、液化石油气的瓶装供应站有其特殊的要求，在现行国家标准《城镇燃气设计规范》GB 50028中已作了明确的规定，该规定也适合汽车库、修车库的情况，因此不另行规定。汽车库、停车场参照现行国家标准《城镇燃气设计规范》GB 50028中民用建筑的标准要求防火间距，修车库参照明火或散发火花的地点要求。

4.2.9 对于石油库、汽车加油加气站与建筑物的防火间距，在现行国家标准《石油库设计规范》GB 50074 和《汽车加油加气站设计与施工规范》GB 50156 中都明确了这些规定也适用于汽车库，所以本条不另作规定。汽车库、停车库参照现行国家标准《石油库设计规范》GB 50074 和《汽车加油加气站设计与施工规范》GB 50156中民用建筑的标准要求防火间距，修车库参照明火或散发火花的地点要求。

4.2.10 国内大、中城市公交运输部门和工矿企业都新建了规模不等的露天停车场，但很少考虑消防扑救、车辆疏散等安全因素。修订组在调查中了解到，绝大部分停车场停放车辆混乱，既不分组也不分区，车与车前后间距很小，甚至有些在行车道上也停满了车辆，如果发生火灾，车辆疏散和扑救火灾十分困难。本条本着既保障安全生产又便于扑救火灾的精神，对停车场的停车要求作了规定。

4.2.11 由于用地紧张，现在很多建筑在屋面设置停车区域，有些停车位紧挨着周边的建筑，一旦汽车着火，必定对周边建筑产生威胁。因此，规定这些停车区域与建筑其他部分或相邻其他建筑物之间保持一定的防火间距是有必要的。

4.3 消 防 车 道

4.3.1 在设计中对消防车道考虑不周，发生火灾时消防车无法靠近建筑物往往延误灭火时机，造成重大损失。为了给消防扑救工作创造方便，保障建筑物的安全，本条规定了汽车库和修车库周围应设置消防车道。

消防车道是保证火灾时消防车靠近建筑物施以灭火救援的通

道，是保证生命和财产安全的基本要求，所以将本条确定为强制性条文。

4.3.2 本条是根据现行国家标准《建筑设计防火规范》GB 50016关于消防车通道的有关规定制订的。

1 考虑到Ⅳ类汽车库和Ⅳ类修车库相对规模比较小，按照规范规定设置消防车道即可，可沿建筑物的一个长边和另一边设置。

2 本条对回车道或回车场的规定是根据消防车回转需要而规定的，各地也可根据当地消防车的实际需要确定回转的半径和回车场的面积。

3 目前我国消防车的宽度大都不超过 2.5m，消防车道的宽度不小于 4m 是按单行线考虑的，许多火灾实践证明，设置宽度不小于 4m 的消防车道，对消防车能够顺利迅速到达火场扑救起着十分重要的作用。

4.3.3 国内现有消防车的外形尺寸，一般高度不超过 4.0m，宽度不超过 2.5m，因此本条对消防车道穿过建筑物和上空遇其他障碍物时规定的所需净高、净宽尺寸是符合消防车行驶实际需要的，但各地可根据本地消防车的实际情况予以确定。

5 防火分隔和建筑构造

5.1 防火分隔

5.1.1 本条是根据目前国内汽车库建造的情况和发展趋势以及参照日本、美国的有关规定，并参照现行国家标准《建筑设计防火规范》GB 50016丁类库房防火隔间的规定制订的。目前国内新建的汽车库一般耐火等级均为一、二级，且安装了自动喷水灭火系统，这类汽车库发生大火的事故较少。本条文制订立足于提高汽车库的耐火等级，增强自救能力，根据不同汽车库的形式、不同的耐火等级分别作了防火分区面积的规定。单层的一、二级耐火等级的汽车库，其疏散条件和火灾扑救都比其他形式的汽车库有利，其防火分区的面积大些，而三级耐火等级的汽车库，由于建筑物燃烧容易蔓延扩大火灾，其防火分区控制得小些。多层汽车库、半地下汽车库较单层汽车库疏散和扑救困难些，其防火分区的面积相应减小些；地下和高层汽车库疏散和扑救条件更困难些，其防火分区的面积要再减小些。这都是根据汽车库火灾的特点规定的。这样规定既确保了消防安全的有关要求，又能适应汽车库建设的要求。一般一辆小汽车的停车面积为30m^2左右，一般大汽车的停车面积为40m^2左右。根据这一停车面积计算，一个防火分区内最多停车数为80辆～100辆，最少停车数为30辆。这样的分区在使用上较为经济合理。

半地下汽车库即室内地坪低于室外地坪面高度大于该层车库净高1/3且不大于1/2的汽车库，由于半地下汽车库通风条件相对较好，将半地下汽车库的防火分区面积与多层汽车库的防火分区面积保持一致。此次修订调整了设置在建筑物首层的汽车库的防火分区，当汽车库设置在多层建筑物的首层时，应按照多层汽车库划分防火分区；当汽车库设置在高层建筑物的首层时，应按照高层汽车库划分防火分区。其中对于设置在高层建筑物首层的汽车库，提高了要求。之所以调整设置在首层汽车库的防火分区面积，一方面是为了与本规范对多层汽车库和高层汽车库的定义相一致，另一方面是为了与建筑的火灾危险性相匹配。

复式汽车库即室内有车道且有人员停留的机械式汽车库，与一般的汽车库相比，由于其设备能叠放停车，相同的面积内可多停30%～50%的小汽车，故其防火分区面积应适当减小，以保证安全。

对于室内无车道且无人员停留的机械式汽车库的防火分隔是以停车数量为指标的防火分区划分原则，因此，对于室内无车道且无人员停留的机械式汽车库的防火分隔应按照本规范第5.1.3条执行。

防火分区是在火灾情况下将火势控制在建筑物一定空间范围内的有效的防火分隔，防火分区的面积划定是建筑防火设计最重要的内容之一，所以将本条确定为强制性条文。

5.1.2 本条关于设置自动灭火系统的汽车库防火分区建筑面积可以增加的规定，主要是参考了现行国家标准《建筑设计防火规范》GB 50016的有关规定，考虑了主动防火与被动防火之间的平衡。

5.1.3 机械式立体汽车库最早开发、应用于欧美国家，20世纪60年代初被引入日本，由于其节省用地的优点在日本得到广泛的采用，并逐渐成为日本的主流停车库形式，截至2013年，日本机械式停车泊位已经超过291万个，占到各类注册停车泊位总量的50%以上。

我国机械式立体汽车库的发展始于1984年，1989年在北京建成了首个机械式立体汽车库。进入21世纪以来，随着我国经济的快速发展，出现了城市轿车数量急剧膨胀而城市用地日渐减少、停车需求难以满足的局面。这种情况下，机械式立体汽车库开始在国内大中城市有了较快发展。目前中国的机械式立体汽车库数量仅次于日本居于世界第二，并且每年还以近30%的速度增长。

据不完全统计，截至2014年末，不包括港澳台地区，全国除西藏外，30个省、市、自治区的450个城市兴建了机械式停车库，共建机械式停车库(项目)12300多个，泊位总数达到274.3万余个。其中，全封闭的自动化汽车库1000余座，约占机械式汽车库总数的9%左右，泊位19.5万余个，约占总数的7.1%。

已建设机械式停车库的城市，除西藏外，覆盖了国内所有直辖市、省会城市及计划单列城市，以及83%左右的地级城市和200多个县级及以下城市。

以上海为例，截至2014年底，机械式立体停车库的数量约为1200个，机械式停车泊位约为17.97万个。其中，100个停车泊位以内的停车库(场)约占56.8%，100个～200个停车泊位的停车库(场)约占23.4%，200个～300个停车泊位的停车库(场)约占8.4%，300个～500个停车泊位的停车库(场)约占8.6%，500个～1000个停车泊位的停车库(场)约占3.3%，1000个停车泊位以上的停车库(场)约占0.7%。

根据《机械式停车设备　分类》GB/T 26559，机械式停车设备的类别按其工作原理区分，主要包括：①升降横移类；②简易升降类；③垂直升降类；④垂直循环类；⑤平面移动类；⑥水平循环类；⑦多层循环类；⑧巷道堆垛类；⑨汽车专用升降机。截至2014年末，全国已建机械式汽车库泊位升降横移类约占86.7%，简易升降类约占6.0%，垂直升降类约占1.4%，垂直循环类约占0.2%，平面移动类约占4.0%，多层循环类约占0.1%，巷道堆垛类约占1.5%。

经调研发现，原条文限定防火分区内最大停车数量为50辆，对机械式立体汽车库的建设和运行产生了较大影响：

(1)影响运行效率。

一个汽车库防火分区过多，必然会使汽车库内运载车辆的机械装置得不到有效的行程空间而影响运行速度。举例来说，日本一个平面移动汽车库的搬运小车速度最高可以达到5m/s，而在我国，速度通常达不到1.2m/s，其主要原因就是防火分区或库内设置的防火卷帘限制了搬运小车运行巷道的长度。

(2)增加建设成本。

汽车库如果分区过多，会增加防火墙或防火卷帘的设置数量，从而大大增加建设成本；同时，防火分区过小也会造成更多地采用搬运设备和控制设备，增加设备成本。

(3)结构难以优化。

机械式立体汽车库的最大优点是能够根据地理环境条件，因地制宜地设计出既能最大量地提供停车泊位，又能保证运行效率的停车库，但如果防火分区太小，将会使设计方案难以优化，使有限的土地资源不能有效利用，造成资源浪费。

2003年～2007年间，中国建筑科学研究院建筑防火研究所、清华大学公共安全研究中心、中国科学技术大学火灾科学国家重点实验室等科研单位，对机械式立体汽车库进行了一系列的理论及实验研究。通过实验获得了地下汽车库火灾特性的第一手资料，包括地下全自动化车库内火灾的发展与蔓延特性、温度场的变化趋势、烟气流动及烟气浓度变化规律等，实验研究结论如下：

(1)车体密封性对车厢内着火的火灾有着非常重要的影响，在车窗关闭的情况下，由车厢燃起的火灾实验均出现了因供氧不足而自动熄灭的情况。

(2)汽车发生火灾时，车内最高温度可达1000℃左右。

(3)钢筋混凝土结构的自动化车库结构对于防止火灾蔓延有如下表现：

1)由于无需预留人员上下车的空间，同层相邻汽车距离小，在喷淋失效的情况下，火灾初期即发生辐射蔓延，在消防救援展开之前(按15min计)，整个停车单元的车辆均有可能被引燃。

2)实验表明，汽车火灾产生的火焰会贴壁上卷，但因为着火部位一般距楼板边缘有一定距离且楼板厚度较小，卷至上层的火焰高度及温度在很大程度上得到削减。即使消防设施失效，在消防队员到来之前(按 15min 计)，火灾也很难在上下相邻停车单元之间蔓延。

3)相对单元间不会蔓延。由于相对单元被运车巷道隔开，相对单元接受到的辐射热通量远小于临界辐射热通量，故不会被辐射引燃。实验中曾出现过飞火及物件爆裂的情况，但由于单元净高较低，影响范围较小。所以，机械式立体汽车库内发生火灾时，火灾在相对单元间蔓延的可能性非常小。

(4)汽车火灾的大部分情况是线路短路引起的自燃，且多在组件杂乱的发动机舱内发生，由于发动机舱直接连通大气，供氧充足，可燃物多，由发动机舱开始蔓延的火势发展及蔓延非常快。

(5)阴燃实验的结果显示，车厢内遗留烟头引起的火灾发展极其缓慢，自熄的可能性很大。

基于以上因素，普通机械式立体汽车库单个防火分区停车数放宽至 100 辆，混凝土结构的机械式立体汽车库在进行条文中的限定后，放宽至 300 辆，这样才能在保证消防安全的基础上，与我国机械式立体汽车库行业的发展相适应。同时，机械式立体汽车库应设置自动灭火系统、火灾自动报警系统、排烟设施等消防设施；检修通道应留有一定的宽度且尽量到达每个停车位，以便消防队员可以在火灾时通过检修通道进行灭火，在楼梯间和检修通道上相应设置室内消火栓。

机械式立体汽车库是一种特殊的汽车库形式，由于人员不能进入里面，与普通汽车库有所不同。不仅车辆疏散难度很大，而且灭火难度也很大，有必要通过对车辆数、防火分隔措施及消防设施设置等的规定，来保证此类汽车库的安全性，所以将本条确定为强制性条文。

5.1.4 甲、乙类物品运输车的汽车库、修车库，其火灾危险性较一般的汽车库大，若不控制防火分区的面积，一旦发生火灾事故，造成的火灾损失和危害都较大。如首都机场和上海虹桥国际机场的油槽车库、氧气瓶车库，都按 3 辆～6 辆车进行分隔，面积都在 $300m^2$～$500m^2$。参照现行国家标准《建筑设计防火规范》GB 50016中对乙类危险品库防火隔间的面积为 $500m^2$ 的规定，本条规定此类汽车库的防火分区为 $500m^2$。

防火分区是在火灾情况下将火势控制在建筑物一定空间之内的有效的防火分隔措施，甲、乙类物品火灾危险性大，必须对其严格限制，甲、乙类物品运输车库防火分区的面积划定是甲、乙类物品运输车库防火设计最重要的内容之一，所以将本条确定为强制性条文。

5.1.5 修车库是类似厂房的建筑，由于其工艺上需使用有机溶剂，如汽油等清洗和喷漆工段，火灾危险性可按甲类危险性对待。参照现行国家标准《建筑设计防火规范》GB 50016 中对甲类厂房的要求，防火分区面积控制在 $2000m^2$ 以内是合适的，对于危险性较大的工段已进行完全分隔的修车库，参照乙类厂房的防火分区面积和实际情况的需要适当调整至 $4000m^2$。

由于修车库火灾危险性按照甲类厂房对待，故需要对修车库防火分区面积严格限制，修车库防火分区的面积划定是修车库防火设计最重要的内容之一，所以将本条确定为强制性条文。

5.1.6 由于汽车的燃料为汽油，一辆高级小汽车的价值又较高，为确保汽车库、修车库的安全，当汽车库、修车库与其他建筑贴邻建造时，其相邻的墙应为防火墙。当汽车库、修车库与办公楼、宾馆、电信大楼及其他公共建筑物组合建造时，其竖向分隔主要靠楼板，而一般预应力楼板的耐火极限较低，火灾后容易被破坏，将影响上、下层人员和物资的安全。由于上述原因，本条对汽车库与其他建筑组合在一起的建筑楼板和隔墙提出了较高的耐火极限要求。如楼板的耐火极限比一级耐火等级的建筑物提高了 0.5h，隔墙需 3.00h 耐火时间。这一规定与国外一些规范的规定也是相类同的，如美国国家防火协会 NFPA《停车构筑物标准》第 3.1.2 条规定的设于其他用途的建筑物中，或与之相连的地下停车构筑物，应用耐火极限 2.00h 以上的墙、隔墙、楼板或带平顶的楼板隔开。

为了防止火灾通过门、窗、洞口蔓延扩大，本条还规定汽车库门、窗、洞口上方应挑出宽度不小于1.0m的防火挑檐，作为阻止火焰从门、窗、洞口向上蔓延的措施。对一些多层、高层建筑，若采用防火挑檐可能会影响建筑物外立面的美观，亦可采用提高上、下层窗槛墙的高度达到阻止火焰蔓延的目的。窗槛墙的高度规定为1.2m在建筑上是能够做到的。英国《防火建筑物指南》论述墙壁的防火功能时用实物作了火灾从一层扩散至另一层的实验，结果证明，当上、下层窗槛墙高度为0.9m(其在楼板以上的部分墙高不小于0.6m)时，可延缓上层结构和家具的着火时间达15min。突出墙0.6m的防火挑板不足以防止火灾向上、下扩散，因此本条规定窗槛墙的高度为1.2m，防火挑檐的宽度为1.0m是能达到阻止火灾蔓延作用的。

5.1.7 因为修车的火灾危险性比较大，停车部位与修车部位之间如不设防火墙，在修理时一旦失火容易引燃停放的汽车，造成重大损失。如某市医院汽车库，司机在汽车库内检修摩托车，不慎将油箱汽油点着，很快引燃了附近一辆价值很高的进口医用车；又如某市造船厂，司机在停车库内的一辆汽车底下用行灯检修车辆，由于行灯碰碎，冒出火花遇到汽油着火，烧毁了其他3台车。因此，本条规定汽车库内停车与修车车位之间，必须设置防火墙和耐火极限较高的楼板，以确保汽车库的安全。

5.1.8 使用有机溶剂清洗和喷涂的工段，其火灾危险性较大，为防止发生火灾时向相邻的危险场所蔓延，采取防火分隔措施是十分必要的，也是符合实际情况的。

5.1.9 消防控制室、自动灭火系统的设备室、消防水泵房和排烟、通风空气调节机房等，是灭火系统的“心脏”，汽车库发生火灾时，必须保证上述房间不受火势威胁，确保灭火工作的顺利进行。因此本条规定，应采用防火隔墙和楼板将其与相邻部位分隔开。附设在汽车库、修车库内的且为汽车库、修车库服务的变配电室、柴油发电机房等常见的设备用房也应按照本条的规定采取相应的防火分隔措施。

5.2 防火墙、防火隔墙和防火卷帘

5.2.1 本条沿用现行国家标准《建筑设计防火规范》GB 50016 的规定，对防火墙及防火隔墙的砌筑作了较为明确的规定。

防火墙及防火隔墙是保证防火分隔有效性的重要手段。防火墙必须从基础及框架砌筑，且应从上至下均处在同一轴线位置，相应框架的耐火极限也要与防火墙的耐火极限相适应。防火隔墙应从楼地面基层隔断至梁、楼板底面基层。如果防火墙及防火隔墙砌筑不当，一是无法保证自身耐火极限要求，二是无法起到阻止烟火蔓延的作用，所以将本条确定为强制性条文。

5.2.2 因为防火墙的耐火极限为 3.00h，防火隔墙的耐火极限为 2.00h，故防火墙和防火隔墙上部的屋面板也应有一定的耐火极限要求，当屋面板耐火极限达到 0.5h 时，防火墙和防火隔墙砌至屋面基层的底部就可以了，不高出屋面也能满足防火分隔的要求。

5.2.3 本条对三级耐火等级的汽车库、修车库的防火墙、屋顶结构应高出屋面 0.4m 和 0.5m 的规定，是沿用现行国家标准《建筑设计防火规范》GB 50016 的规定。

5.2.4 火灾实例说明，防火墙设在转角处不能阻止火势蔓延，如确有困难需设在转角附近时，转角两侧门、窗、洞口之间最近的水平距离不应小于 4m。不在转角处的防火墙两侧门、窗、洞口的最近水平距离可为 2m，这一间距就能控制一定的火势蔓延。在防火墙两侧设置固定乙级防火窗，其间距不受限制。

5.2.5 为了确保防火墙、防火隔墙的耐火极限，防止火灾时火势从孔洞的缝隙中蔓延，制订本条规定。本条往往在施工中被人们忽视，特别在管道敷设结束后，必须用不燃烧材料将孔洞周围的缝隙紧密填塞，应引起设计、施工单位和公安消防部门高度重视。同时，为了保证管道不会因受热变形而破坏整个分隔的有效性和完整性，根据现行国家标准《建筑设计防火规范》GB 50016 的规定，

穿越处两侧各2.0m范围内的风管应采用耐火风管或风管外壁应采取防火保护措施，且耐火极限不应低于该防火分隔体的耐火极限。

5.2.6 本条对防火墙或防火隔墙开设门、窗、洞口提出了严格要求。在建筑物内发生火灾，烟火必然穿过孔洞向另一处扩散，墙上洞口多了，就会失去防火墙、防火隔墙应有的作用。为此，规定了这些墙上不宜开设门、窗、洞口，如必须开设时，应在开口部位设置甲级防火门、窗。实践证明，这样处理基本上能满足控制或扑救一般火灾所需的时间。

5.2.7 本条为新增条款。考虑到车道两侧没有汽车停放，停车区域两侧一般均停有汽车，因此，对设置在不同部位的防火卷帘分别提出要求。

5.3 电梯井、管道井和其他防火构造

5.3.1 建筑物内的各种竖向管井是火灾蔓延的途径之一。为了防止火势向上蔓延，要求电梯井、管道井、电缆井以及楼梯间应各自独立分开设置。为防止火灾时竖向管井烧毁并扩大灾情，规定了管道井井壁耐火极限不低于1.00h，电梯井井壁耐火极限不低于2.00h的不燃性结构。

建筑内的竖向管井在没有采取防火措施的情况下将形成强烈的烟囱效应，而烟囱效应是火灾时火势扩大蔓延的重要因素。如果电梯井、管道井及电缆井未分开设置且未达到一定的耐火极限，一旦发生火灾，将导致烟火沿竖向井道向其他楼层蔓延，所以将本条确定为强制性条文。

5.3.2 电缆井、管道井应做竖向防火分隔，在每层楼板处用相当于楼板耐火极限的不燃烧材料封堵。

建筑物内的竖向管井如果未分隔将形成强烈的烟囱效应，从而导致烟火沿竖向管井向建筑物的其他楼层蔓延，因此保证各类竖井的构造要求是非常必要的，所以将本条确定为强制性条文。

5.3.3 非敞开式的汽车库的自然通风条件较差，一旦发生火灾，火焰和烟气很快地向上、下、左、右蔓延扩散，若汽车库与汽车疏散坡道无防火分隔设施，对车辆疏散和扑救是很不利的。为保证车辆疏散坡道的安全，本条规定，汽车库的汽车坡道与停车区之间用防火墙分隔，开口的部位设甲级防火门、防火卷帘、防火水幕进行分隔。如果汽车库的汽车坡道采用顶棚，顶棚要采用不燃材料。

汽车库内和坡道上均设有自动灭火设备的汽车库的消防安全度较高。敞开式的多层停车库，通风条件较好，另外不少非敞开式的汽车库采用斜楼板式停车的设计，车道和停车区之间不易分隔，故条文对于设有自动灭火设备的汽车库和敞开式汽车库、斜楼板式汽车库作了另行处理的规定，这也是与国外规范相一致的。美国防火协会《停车构筑物标准》规定，封闭式停车的构筑物、贮存汽车库以及地下室和地下停车构筑物中的斜楼板不需要封闭，但需要具备下述安全措施：第一，经认可的自动灭火系统；第二，经认可的监视性自动火警探测系统；第三，一种能够排烟的机械通风系统。汽车坡道的顶部不应设置非不燃性材料制作的顶棚。

5.3.4 本条为新增内容。汽车库、修车库的内部装修需求不高，如果采用一定的装修材料进行内部装修，应符合现行国家标准《建筑内部装修设计防火规范》GB 50222 的有关规定。

6 安全疏散和救援设施

6.0.1 制订本条的目的，主要是为了确保人员的安全，不管平时还是在火灾情况下，都应做到人车分流、各行其道，发生火灾时不影响人员的安全疏散。某地卫生局的一个汽车库和宿舍合建在一起，宿舍内人员的进出没有单独的出口，进出都要经过汽车库，有一次车辆失火后，宿舍的出口被烟火封死，宿舍内3人因无路可逃而被烟熏死在房间内。所以汽车库、修车库与办公、宿舍、休息用房等组合的建筑，其人员出口和车辆出口应分开设置。

条文中“设置在工业与民用建筑内的汽车库”是指汽车库与其他建筑平面贴邻或上下组合的建筑，如上海南泰大楼下面一至七层为停车库，八至二十层为办公和电话机房；又如深圳发展中心前侧为超高层建筑，后侧为六层停车库；也有单层建筑，前面为停车，后面为办公、休息用房。国内外也有一些高层建筑，如上海海仑宾馆，底层为汽车库，二层以上为宾馆的大堂、客房；新加坡的不少高层住宅底层均为汽车库，二层以上为住宅。此类汽车库应做到车辆的疏散出口和人员的安全出口分开设置，这样设置既方便平时的使用管理，又有确保火灾时安全疏散的可靠性。

将人员疏散出口与车辆出口分开设置，是火灾情况下确保人员安全的必要措施，所以将本条确定为强制性条文。

6.0.2 汽车库、修车库人员疏散出口的数量，一般都应设置2个，目的是可以进行双向疏散，一旦一个出口被火封死，另一个出口还可进行疏散。但多设出口会增加建筑面积和投资，不加区别地一律要求设置2个出口，在实际执行中有困难，因此，Ⅳ类汽车库和Ⅲ、Ⅳ类修车库作了适当调整处理的规定。

本次修订，考虑由于汽车库、修车库同一时间的人数无法确定，其可操作性不强，故取消人数的规定，明确Ⅳ类汽车库和Ⅲ、Ⅳ类修车库可设一个安全出口的规定。

人员安全出口的设置是按照防火分区考虑的，即每个防火分区应设置2个人员安全出口。安全出口的定义，按照现行国家标准《建筑设计防火规范》GB 50016的规定，是指供人员安全疏散用的楼梯间、室外楼梯的出入口或直通室内外安全区域的出口。鉴于汽车库的防火分区面积、疏散距离等指标均比现行国家标准《建筑设计防火规范》GB 50016相应的防火分区面积、疏散距离等指标放大，故对于汽车库来讲，防火墙上通向相邻防火分区的甲级防火门，不得作为第二安全出口。

6.0.3 汽车库、修车库内的人员疏散主要依靠楼梯进行，因此要求室内的楼梯必须安全可靠。为了确保楼梯间在火灾情况下不被烟气侵入，避免因“烟囱效应”而使火灾蔓延，所以在楼梯间入口处应设置乙级防火门使之形成封闭楼梯间。

如今建筑的开发在高度和深度上都有很大的突破，建筑高度越高，地下深度越深，其疏散要求也越高，故将地下深度大于10m的地下汽车库与高度大于32m的高层汽车库的疏散楼梯间要求进一步提高，要求设置防烟楼梯间。

火灾情况下，安全出口是保证人员能够安全疏散到室外的关键设施，所以将本条确定为强制性条文。汽车库、修车库内设置的疏散楼梯间应该按照有关国家消防技术标准设置防烟设施。

6.0.4 原国家标准《汽车库、修车库、停车场设计防火规范》GB 50067未对汽车库内消防电梯的设置作出规定。由于建设用地的紧张，而汽车库的停车数量有较大的上升，在城市中，汽车库有向上和向深发展的趋势，与现行国家标准《建筑设计防火规范》GB 50016一致，增加消防电梯设置的要求。

6.0.5 室外楼梯烟气的扩散效果好，所以在设计时尽可能把楼梯布置在室外，这对人员疏散和灭火扑救都有利。室外楼梯大都采用钢扶梯，由于钢楼梯耐火性能较差，所以条文中对设置室外楼梯作了较为详细的规定，当满足条文规定的室外钢楼梯技术要求时，可代替室内的封闭疏散楼梯或防烟楼梯间。

6.0.6 汽车库的火灾危险性按照现行国家标准《建筑设计防火规范》GB 50016 划分为丁类，但毕竟汽车还有许多可燃物，如车内的坐垫、轮胎和汽油均为可燃和易燃材料，一旦发生火灾燃烧比较迅速，因此在确定安全疏散距离时，参考了国外资料的规定和现行国家标准《建筑设计防火规范》GB 50016 对丁类生产厂房的规定，定为 45m。装有自动喷水灭火系统的汽车库安全性较高，所以疏散距离也可适当放大，定为 60m。对底层汽车库和单层汽车库因都能直接疏散到室外，要比楼层停车库疏散方便，所以在楼层汽车库的基础上又作了相应的调整规定。这是因为汽车库的特点是空间大、人员少，按照自由疏散的速度 1m/s 计算，一般在 1min 左右都能到达安全出口。

火灾情况下，为了保证尽快地疏散至安全区域，疏散距离的控制是非常重要的一个指标，较短的疏散距离，能够保证人员不受或者少受烟火的影响，所以将本条确定为强制性条文。

6.0.7 在大型住宅小区中，建筑间的独立大型地下、半地下汽车库均有地下通道与住宅相通，如按地下汽车库的防火分区内设置疏散楼梯，将使小区内地面的道路和绿化受到较大影响。所以，允许利用地下汽车库通向住宅的楼梯间作为汽车库的疏散楼梯是符合实际的，这样，既可以节省投资，同时，在火灾情况下，人员的疏散路径也与人们平时的行走路径相一致。

该走道的设置类似于楼梯间的扩大前室，同时，考虑到汽车库与住宅地下室之间分别属于不同防火分区，所以，连通门采用甲级防火门。

6.0.8 考虑到室内无车道且无人员停留的机械式汽车库平时除检修人员以外，没有其他人员进入，因此，规定该类机械式汽车库可不设置人员安全出口，但考虑到在火灾情况下，仍然要对该类机械式汽车库进行灭火救援，因此规定应设置供灭火救援用的楼梯间。

6.0.9 确定车辆疏散出口的主要原则是，在满足汽车库平时使用要求的基础上，适当考虑火灾时车辆的安全疏散要求。对大型的汽车库，平时使用也需要设置2个以上的出口，所以规定出口不应少于2个。同时，规定2个汽车疏散出口应分散布置，分散布置的原则主要是指水平方向。比如，当每个楼层设有2个及2个以上防火分区时，汽车疏散出口应分设在不同的防火分区，当每个楼层只有1个防火分区时，2个汽车疏散出口应分散布置。

两个汽车疏散出口，是保证火灾情况下车辆安全疏散的基本要求，所以将本条确定为强制性条文。

本条所指的汽车库疏散出口，主要是指室内有车道且有人员停留的汽车库的疏散出口；对于室内无车道且无人员停留的机械式汽车库，可以不考虑火灾情况下汽车疏散，这类汽车库进出口的设置应按照其专业规范进行设计。

6.0.10 对于地下、半地下汽车库，设置出口不仅占用的面积大，而且难度大，100辆以下双车道的地下、半地下汽车库也可设一个出口。这些汽车库按要求设置自动喷水灭火系统，最大的防火分区可为$4000m^2$，按每辆车平均需建筑面积$30m^2$～$40m^2$计，差不多是一个防火分区。在平时，对于地下多层汽车库，在计算每层设置汽车疏散出口数量时，应尽量按总数量予以考虑，即总数在100辆以上的应不少于两个，总数在100辆以下的可为一个双车道出口，但在确有困难，车道上设有自动喷水灭火系统时，可按本层地下汽车库所担负的车辆疏散数量是否大于50辆或100辆，来确定汽车出口数。例如3层汽车库，地下一层为54辆，地下二层为38辆，地下三层为34辆，在设置汽车出口有困难时，地下三层至地下二层因汽车疏散数小于50辆，可设一个单车道的出口，地下二层至地下一层，因汽车疏散数为38＋34＝72辆，大于50辆，小于100辆，可设一个双车道的出口，地下一层至室外，因汽车疏散数为54＋38＋34＝126辆，大于100辆，应设两个汽车疏散出口。

在执行本条时，汽车疏散出口的设置是按照整个汽车库考虑的，不是按照每个防火分区考虑的。

6.0.11 错层式、斜楼板式汽车库内，一般汽车疏散是螺旋单相式、同一时针方向行驶的，楼层内难以设置两个疏散车道，但一般都为双车道，当车道上设置自动喷水灭火系统时，楼层内可允许只设一个出口，但到了地面及地下至室外时，Ⅰ、Ⅱ类地上汽车库和大于100辆的地下、半地下汽车库应设两个出口，这样也便于平时汽车的出入管理。

6.0.12 在一些城市的闹市中心，由于基地面积小，汽车库的周围毗邻马路，使楼层或地下、半地下汽车库的汽车坡道无法设置，为了解决数量不多的停车需要，可设汽车专用升降机作为汽车疏散出口。目前国内上海、北京等地已有类似的停车库，但停车的数量都比较少。因此条文规定了Ⅳ类汽车库方能适用。控制50辆以下，主要是根据目前国内已建的使用汽车专用升降机的汽车库和正在发展使用的机械式立体汽车库的停车数提出的。汽车专用升降机应尽量做到分开布置。对停车数量少于25辆的，可只设一台汽车专用升降机。

此次修订，将原“垂直升降梯”改为“汽车专用升降机”，这是与现行机械行业标准《汽车专用升降机》JB/T 10546相统一的。根据现行机械行业标准《汽车专用升降机》JB/T 10546的有关规定，汽车专用升降机是指用于停车库出入口至不同停车楼层间升降搬运车辆的机械设备，它相当于自走式停车库中代替车道（斜坡道）的作用。升降机按人与停车设备关系可分为：准无人方式和人车共乘方式；搬运器按运行方式可分为升降式、升降回转式和升降横移式。

6.0.13 本条规定的车道宽度主要是依据交通管理部门的规定制订的。同时，汽车疏散坡道的宽度与现行行业标准《汽车库建筑设计规范》JGJ 100保持统一。本条的规定与现行行业标准《汽车库建筑设计规范》JGJ 100中单车道和双车道的最小值一致，同时，汽车库车道的设计还应满足使用需求。

6.0.14 为了确保坡道出口的安全，对两个出口之间的距离作了限制，10m的间距是考虑平时确保车辆安全转弯进出的需要，一旦发生火灾也为消防灭火双向扑救创造基本的条件。但两个车道相毗邻时，如剪刀式等，为保证车道的安全，要求车道之间应设防火隔墙予以分隔。

6.0.15 停车场的疏散出口实际是指停车场开设的大门，据对许多大型停车场的调查，基本都设有2个以上的大门，但也有一些停车数量少，受到周围环境的限制，设置两个出口有困难，本条规定不大于50辆的停车场允许设置1个出口。

本条规定主要是指室内有车道的汽车库内汽车之间和汽车与墙、柱之间的水平距离；对于室内无车道且无人员停留的机械式汽车库内汽车之间的距离应参照其他专业规范执行。

6.0.16 汽车之间以及汽车与墙、柱之间的水平距离应考虑消防安全要求。有些单位只考虑停车，不顾安全，如某大学在一幢 $2000m^2$ 的大礼堂内杂乱地停放了39辆汽车；某市公交汽车一场，停放车辆数比原来增加了3倍多，车辆停放拥挤，大型铰接车之间的间距仅为0.4m。在这些情况下，中间的汽车失火时，人员无法进入抢救。国外有的资料提到英国通常采用的停车距离为0.5m～1.0m；苏联《汽车库设计标准的技术规范》，根据汽车不同宽度和长度分别规定了汽车之间的距离为0.5m～0.7m，汽车与墙、柱之间的距离为0.3m～0.5m。本条综合研究了各方面的意见，考虑到中间车辆起火，在未疏散前，人员难侧身携带灭火器进入扑救，所以汽车之间以及汽车与墙、柱之间的距离作了不小于0.3m～0.9m的规定。

7 消防给水和灭火设施

7.1 消 防 给 水

7.1.1 汽车库、修车库、停车场发生火灾，开始时大多是由汽车着火引起的，但当汽车库着火后，往往汽油燃烧很快结束，接着是汽车本身的可燃材料，如木材、皮革、塑料、棉布、橡胶等继续燃烧。从目前的情况来看，扑灭这些可燃材料的火灾最有效、最经济、最方便的灭火剂，还是用水比较适宜。

在调查国内15次汽车库重大火灾案例中，有些汽车库发生火灾初期，群众虽然使用了各种小型灭火器，但当汽车库火烧大了以后，都是消防队利用消防车出水扑救的。在国外汽车库设计中，不少国家在汽车库内设置消防给水系统，将其作为重要的灭火手段。

根据上述情况，本规范对汽车库、修车库、停车场消防给水作了必要的规定。

7.1.2 本条规定耐火等级为一、二级的Ⅳ类修车库和停放车辆不大于5辆的一、二级耐火等级的汽车库、停车场，可不设室内、外消防用水，配备一些灭火器即可。

7.1.3 本条按现行国家标准《消防给水及消火栓系统技术规范》GB 50974的规定，汽车库、修车库、停车场区域内的室外消防给水，采用高压、低压两种给水方式，多数是能够办到的。在城市消防力量较强或企业设有专职消防队时，一般消防队能及时到达火灾现场，故采用低压给水系统是比较经济合理的，只要敷设一些消防给水管道和根据需要安装一些室外消火栓即可；高压制消防给水系统主要是在一些距离城市消防队较远和市政给水管网供水压力不足的情况下才采用的。高压制时，还要增加一套加压设施，以满足灭火所需的压力要求，这样，相应地要增加一些投资，所以在一般情况下是很少采用的。本条对汽车库、修车库、停车场区域室外消防给水系统，规定低压制或高压制均可采用，这样可以根据每个汽车库、修车库、停车场的具体要求和条件灵活选用。

7.1.4 本条对汽车库、修车库的消防用水量作了规定，要求消防用水总量按室内消防给水系统（包括室内消火栓系统和与其同时开放的其他灭火系统，如喷淋或泡沫等）的消防用水量和室外消防给水系统用水量之和计算。在Ⅰ、Ⅱ类多层、地下汽车库内，由于建筑体积大，停车数量多，扑救火灾困难，有时要同时设置室内消火栓和室内自动喷水等几种灭火设备。在计算消防用水量时，一般应将上述几种需要同时开启的设备按水量最大一处叠加计算。这与联合扑救的实际火场情况是相符合的。自动喷水灭火设备无需人员操作，一遇火灾，首先是它起到灭火作用。室内消防给水主要是供本单位职工扑救火灾的；室外消防给水是为公安消防队扑救火灾提供必需的水源，所以它们各有需求，缺一不可。

消防给水是扑救汽车库、修车库火灾的有效保证。火灾时，室内、外消防设备需要同时启动，满足室内、外消防用水量是必须的。如果水量不足，将无法有效控制烟火的蔓延，所以将本条确定为强制性条文。

7.1.5 汽车库、修车库、停车场的室外消防用水量，主要是参照原国家标准《建筑设计防火规范》GB 50016 对丁类仓库的室外消防用水量的有关要求确定的。规定建筑物体积小于 $5000m^3$ 的为 10L/s，$5000m^3$ 相当于Ⅳ类汽车库；建筑物体积大于 $5000m^3$ 但小于 $50000m^3$ 的为 15L/s，相当于Ⅲ类汽车库；建筑物体积大于 $50000m^3$ 的为 20L/s，$50000m^3$ 相当于Ⅰ、Ⅱ类汽车库。

在调查 15 次汽车库重大火灾案例中，消防队一般出车是 2 辆～4 辆，使用水枪 3 支～6 支，某市招待所三级耐火等级的汽车库着火，市消防支队出动消防车 4 辆，使用 4 支水枪（每支水枪出水量约为 5L/s）就将火扑灭。某造船厂一座四级耐火等级的汽车库着火，火场面积 $237m^2$，当时有 3 辆消防车参加了灭火，用 4 支水枪扑救汽车库火灾，用2支水枪保护汽车库附近的总变电所，扑救20min就将火灾扑灭，这次用水量约为30L/s。根据汽车库的规模大小，对汽车库室外用水量确定为10L/s～20L/s，这与实际情况比较接近。

室外消火栓系统是在火灾情况下，消防队员用来扑救火灾的有效手段，明确汽车库、修车库、停车场必须设置室外消火栓系统及相应的要求是必须的，所以将本条确定为强制性条文。

7.1.6 对汽车库、修车库、停车场室外消防管道、消火栓、消防水泵房的设置没有特殊要求，可按照现行国家标准《消防给水及消火栓系统技术规范》GB 50974的有关规定执行。对于停车场室外消火栓的位置，本规范规定要沿停车场周边设置，这是因为在停车场中间设置地上式消火栓，容易被汽车撞坏。

本条还根据实践经验，规定了室外消火栓距最近一排汽车不宜小于7m，是考虑到一旦遇有火情，消防车靠消火栓吸水时，还能留出3m～4m的通道，可以供其他车辆通行，不至于影响场内车辆的出入。消火栓距离油库或加油站不小于15m是考虑油库火灾产生的辐射，不至于影响到消防车的安全。

7.1.7 本条是参照现行国家标准《消防给水及消火栓系统技术规范》GB 50974的有关规定制订的。在市政消火栓保护半径150m以内，距建筑外缘5m～150m的市政消火栓可计入建筑室外消火栓的数量，但当为消防水泵接合器供水时，距建筑外缘5m～40m的市政消火栓可计入建筑室外消火栓的数量。因为在这个范围内一旦发生火灾，消防车可以利用市政消火栓进行扑救。

7.1.8 汽车库、修车库的室内消防用水量是参照原国家标准《建筑设计防火规范》GB 50016对性质相类似的工业厂房、仓库消防用水量的规定而确定的，这与目前国内的汽车库实际情况基本相符。

室内消火栓系统是在火灾情况下，扑救初起火灾以及消防队员进入建筑物内部扑救火灾的有效手段，明确汽车库、修车库设置室内消火栓系统及相应的要求是必须的，所以将本条确定为强制性条文。

7.1.9 本条对室内消火栓设计的技术要求作了一些规定，如室内消火栓间距、充实水柱等，这些要求是长期灭火实践形成的经验总结，对有效扑救汽车库火灾是必要的。

规定室内消火栓应设置在明显易于取用的地方，以便于用户和消防队及时找到和使用。

室内消火栓的出水方向应便于操作，并创造较好的水力条件，故规定室内消火栓宜与设置消火栓的墙成 90°角，栓口离地面高度宜为 1.1m。

7.1.10 本条是对汽车库、修车库室内消防管道的设计提出的技术要求，是保障火灾时消防用水正常供给不可缺少的措施。有超过 10 个室内消火栓的汽车库、修车库，一般规模都比较大，消防用水量也大，采用环状给水管道供水安全性高。因此，要求室内采用环状管道，并有两条进水管与室外管道相连接，以保证供水的可靠性。

7.1.11 为了确保室内消火栓的正常使用，提出了设置阀门的具体要求，以保证在管道检修时仍有部分消火栓能正常使用。

7.1.12 本条规定了 4 层以上的多层汽车库、高层汽车库及地下汽车库、半地下汽车库要设置水泵接合器的要求，包括室内消火栓系统的水泵接合器和自动喷水灭火系统的水泵接合器。水泵接合器的主要作用是：①一旦火场断电，消防泵不能工作时，由消防车向室内消防管道加压，代替固定泵工作；②万一出现大面积火灾，利用消防车抽吸室外管道或水池的水，补充室内消防用水量。增加这种设备投资不大，但对扑灭汽车库火灾却很有利，具体要求是按照现行国家标准《消防给水及消火栓系统技术规范》GB 50974 的有关规定制订的。目前国内公安消防队配备的车辆的供水能力完全可以直接扑救 4 层以下多层汽车库的火灾。因此，规定 4 层以下汽车库可不设置消防水泵接合器。

7.1.13 室内消防给水，有时由于市政管网压力和水量不足，需要设置加压设施，并在汽车库屋顶上设置消防水箱，储存一部分消防用水，供扑救初期火灾时使用。考虑到水箱容量太大，在建筑设计中有时处理比较困难，但若太小又势必影响初期火灾的扑救，因此本条对水箱容积作了必要的规定。

7.1.14 为及时启动消防水泵，在水箱内的消防用水尚未用完以前，消防水泵应正常运行。故本条规定在汽车库、修车库内的消防水泵的控制应符合现行国家标准《消防给水及消火栓系统技术规范》GB 50974 的有关规定。

7.1.15 在缺少市政给水管网和其他天然水源的情况下，可采用消防水池作为消防水源。消防水池的有效容积应满足火灾延续时间内室内消防给水系统(包括室内消火栓系统和与其同时开放的其他灭火系统，如喷淋或泡沫等)的消防用水量和室外消防用水量之和的要求。

部分地区由于没有市政给水管网和其他天然水源，一旦发生火灾，消防队往往面临无水可用的困境，缺水地区必须建设消防水池，从而保证消防供水，所以，将本条确定为强制性条文。

7.1.16 水池的容量与一次灭火的时间有关，在调查的 15 次汽车库重大火灾中，绝大部分灭火时间都是 2.00h。本条规定消防水池的容量为 2.00h 之内，与现行国家标准《消防给水及消火栓系统技术规范》GB 50974 的规定和实际灭火需要是相符的。

为了减少消防水池的容量，节省投资造价，在不影响消防供水的情况下，水池的容量可以考虑减去火灾延续时间内补充的水量。

7.1.17 消防水池贮水可供固定消防水泵或供消防车水泵取用，为便于消防车取水灭火，消防水池应设取水口或取水井，取水口或取水井的尺寸应满足吸水管的布置、安装、检修和水泵正常工作的要求，为使消防车消防水泵能吸上水，消防水池的水深应保证水泵的吸水高度不大于 6m。

消防水池有独立设置的或与其他用水共用水池的，当共用时，为保证消防用水量，消防水池内的消防用水在平时应不作它用，因此，消防用水与其他用水合用的消防水池应采取措施，防止消防用水移作它用，一般可采用下列办法：

（1）其他用水的出水管置于共用水池的消防用水量的最高水位上；

（2）消防用水和其他用水在共用水池隔开，分别设置出水管；

（3）其他用水出水管采用虹吸管形式，在消防用水量的最高水位处留进气孔。

寒冷地区的消防水池应有防冻措施，如在水池上覆土保温，入孔和取水口设双层保温井盖等。

7.2 自动灭火系统

7.2.1 本条规定，除敞开式汽车库、屋面停车场外，Ⅰ、Ⅱ、Ⅲ类地上汽车库，停车数大于10辆的地下、半地下汽车库，机械式汽车库，采用汽车专用升降机作汽车疏散出口的汽车库，Ⅰ类修车库均要设置自动灭火系统。这几种类型的汽车库、修车库有的规模大，停车数量多，有的没有车行道，车辆进出靠机械传送，有的设在地下层，疏散和灭火救援极为困难，所以应设置自动灭火系统。

此类汽车库、修车库一旦发生火灾，疏散和扑救困难，易造成重大人身伤亡和财产损失，必须依靠自动灭火系统将初起火灾进行有效控制，所以将本条确定为强制性条文。

7.2.2 对于设置自动灭火系统的汽车库、修车库，除本规范另有规定外，应设置自动喷水灭火系统。根据调查，设置自动喷水灭火系统是及时扑灭火灾、防止火灾蔓延扩大、减少财产损失的有效措施。在进行汽车库、修车库自动喷水灭火系统设计时，火灾危险等级按中危险等级确定。

7.2.3 泡沫-水喷淋系统对于扑救汽车库、修车库火灾具有比自动喷水灭火系统更好的效果，对于Ⅰ类地下、半地下汽车库、Ⅰ类修车库、停车数大于100辆的室内无车道且无人员停留的机械式汽车库等一旦发生火灾扑救难度大的场所，可采用泡沫-水喷淋系统，以提高灭火效力。泡沫-水喷淋系统的设计在现行国家标准《泡沫灭火系统设计规范》GB 50151 中已有要求，可以按照执行。

7.2.4 地下汽车库由于是封闭空间，所以可以采用高倍数泡沫灭火系统；对于机械式立体汽车库，由于是一个无人的封闭空间，采取二氧化碳灭火系统灭火效果很好，故本条文对此作了一些规定，在具体设计时，应按照现行国家标准《泡沫灭火系统设计规范》GB 50151、《二氧化碳灭火系统设计规范》GB 50193 和《气体灭火系统设计规范》GB 50370 中的有关规定执行。

7.2.5 环境温度低于 4℃的严寒或寒冷地区，应按照现行国家标准《自动喷水灭火系统设计规范》GB 50084 的要求设置干式或预作用系统。但对于环境温度低于 4℃时间较短的一些非严寒或寒冷地区，可考虑采用湿式自动喷水灭火系统，但应采用加热保暖等防冻措施，以保证湿式自动喷水灭火系统内不被冻结。

7.2.6 自动喷水灭火系统的设计在现行国家标准《自动喷水灭火系统设计规范》GB 50084 中已有具体规定，在设计汽车库、修车库的自动喷水灭火系统时，对喷水强度、作用面积、喷头的工作压力、最大保护面积、最大水平距离等以及自动喷水的用水量都应按《自动喷水灭火系统设计规范》GB 50084 的有关规定执行。

除此之外，根据汽车库自身的特点，本条制订了喷头布置的一些特殊要求。绝大多数汽车库的停车位置是固定的，在调查中发现绝大部分的汽车库设置的喷头是按照一般常规做法，根据面积大小和喷头之间的距离均匀布置，结果汽车停放部位不在喷头的直接保护下部，汽车发生火灾，喷头保护不到，灭火效果差。所以本条规定应将喷头布置在停车位上。

机械式汽车库的停车位置既固定又是上、下、左、右、前、后移动的，而且层高比较高，所以本条规定了既要有下喷头又要有侧喷头的布置要求，这是保证机械式汽车库自动喷水灭火系统有效灭火所必须做到的。

错层式、斜楼板式的汽车库，由于防火分区较难分隔，停车区与车道之间也难分隔，在防火分区作了一些适当调整处理，但为了保证这些汽车库的安全，防止火灾的蔓延扩大，在车道、坡道上方加设喷头是一种十分必要的补救措施。

7.2.7 此条是新增条款。规定除室内无车道且无人员停留的机械式汽车库外，汽车库、修车库、停车场应配置灭火器。灭火器的配置设计应符合现行国家标准《建筑灭火器配置设计规范》GB 50140中有关工业建筑灭火器配置场所的危险等级。

8 供暖、通风和排烟

8.1 供暖和通风

8.1.1、8.1.2 在我国北方，为了保持冬季汽车库、修车库的室内温度不影响汽车的发动，不少汽车库、修车库内设置了供暖系统。据调查，有相当一部分汽车库火灾是由于供暖方式不当引起的。如某市某厂的汽车库，采用火炉供暖，因汽车油箱漏油，室内温度较高，油蒸气挥发较快，与空气混合成一定比例，遇明火引起火灾；又如某大学的砖木结构汽车库与司机休息室毗邻建造，用火炉供暖，司机捅炉子飞出火星遇汽油蒸气引起火灾。

鉴于上述情况，为防止这些事故发生，从消防安全角度考虑，本条规定在Ⅰ、Ⅱ、Ⅲ类汽车库，Ⅰ、Ⅱ类修车库和甲、乙类物品运输车的汽车库内，应设置热水、蒸汽或热风等供暖设备，不应用火炉或者其他明火供暖方式，以策安全。

8.1.3 考虑到寒冷地区的汽车库、修车库，不论其规模大小，全部要求蒸汽或热水等供暖，可能会有困难，因此，允许Ⅳ类汽车库和Ⅲ、Ⅳ类修车库可采用火墙供暖，但必须采取相应的安全措施。容易暴露明火的部位，如炉门、节风门、除灰门，要求设置在库外，并要求用一定耐火极限的不燃性墙体与汽车库、修车库隔开。

8.1.4 修车库中，因维修、保养车辆的需要，生产过程中常常会产生一些可燃气体，火灾危险性较大，如乙炔气，修理蓄电池组重新充电时放出的氢气以及喷漆使用的易燃液体等，这些易燃液体的蒸气和可燃气体与空气混合达到一定浓度时，遇明火就会爆炸。如汽油蒸气的爆炸下限为1.2%～1.4%，乙炔气的爆炸下限为2.3%～2.5%，氢气的爆炸下限为4.1%，尤以乙炔气和氢气的爆炸范围幅度大，其危险性也大。所以，这些工间的排风系统应各自单独设置，不能与其他用途房间的排风系统混设，防止相互影响，其系统的风机应按防爆要求处理，乙炔间的通风要求还应按照现行国家标准《乙炔站设计规范》GB 50031 的规定执行。

8.1.5 汽车库内良好的通风，是预防火灾发生的一个重要条件。从调查了解到的汽车库现状来看，绝大多数是利用自然通风，这对节约能源和投资都是有利的。地下汽车库和严寒地区的非敞开式汽车库，因受自然通风条件的限制，必须采取机械通风方式。卫生部门要求汽车库每小时换气次数为 6 次～10 次。

组合建筑内的汽车库和地下汽车库的通风系统应独立设置，不应和其他建筑的通风系统混设。

8.1.6 通风管道是火灾蔓延的重要途径，国内外都有这方面的严重教训。如某手表厂、某饭店等单位，都有因风道为可燃烧材料使火灾蔓延扩大的教训。因此，为切断火灾蔓延途径，规定风管应采用不燃材料制作。

防火墙、防火隔墙是建筑防火分区的主要手段，它阻止火势蔓延扩大的作用已为无数次火灾实例所证实。所以，防火墙、防火隔墙除允许开设防火门外，不应在其墙面上开洞留孔，降低其防火作用。因考虑设有机械通风的汽车库里，风管可能穿越防火墙、防火隔墙，为保证它们应有的防火作用，故规定风管穿越这些墙体时，其四周空隙应用不燃材料填实，并在穿过防火墙、防火隔墙处设防火阀。同时，要求在穿过防火墙、防火隔墙两侧各 2m 范围内的风管绝热材料应采用不燃材料。

8.2 排　　烟

8.2.1 本条对危险性较大的汽车库、修车库进行了统一的排烟要求。建筑面积小于 $1000m^2$ 的地下一层和地上单层汽车库、修车库，其汽车坡道可直接排烟，且不大于一个防烟分区，故可不设排烟系统。但汽车库、修车库内最远点至汽车坡道口不应大于 30m，否则自然排烟效果不好。对于敞开式汽车库四周外墙敞开面积达到一定比例，本身就可以满足自然排烟效果。但是，对于面积比较大的敞开式汽车库，应该整个汽车库都满足自然排烟条件，否则应该考虑排烟系统。

汽车库一旦发生火灾，会产生大量的烟气，而且有些烟气含有一定的毒性，如果不能迅速排出室外，极易造成人员伤亡事故，也给消防员进入地下扑救带来困难。根据对目前国内地下汽车库的调查，一些规模较大的汽车库都设有独立的排烟系统，而一些中、小型汽车库，一般均与地下汽车库内的通风系统组合设置。平时作为排风排气使用，一旦发生火灾，转换为排烟使用。当采用排烟、排风组合系统时，其风机应采用离心风机或耐高温的轴流风机，确保风机能在280℃时连续工作30min，并具有在高于280℃时风机能自行停止的技术措施。排风风管的材料应为不燃材料。由于排气口要求设置在建筑的下部，而排烟口应设置在上部，因此各自的风口应上、下分开设置，确保火灾时能及时进行排烟。

大、中型及地下汽车库、修车库一旦发生火灾，将会产生大量烟气，为保障人员疏散，并为扑救火灾创造条件，需要及时有效地将烟气排出室外，所以将本条确定为强制性条文。

8.2.2 本条规定了防烟分区的建筑面积。防烟分区太小，增加了平面内排烟系统的数量，不易控制；防烟分区太大，风机增大，风管加宽，不利于设计。

8.2.3 目前，一些建筑，特别是住宅小区地下汽车库的设计，从节能、环保等方面考虑，以半地下汽车库（一般汽车库顶板高出室外场地标高1.5m）的形式营造自然通风、采光的良好停车环境，通过侧窗及大量顶板开洞方式，达到建筑与自然景观的充分融合。在这种情况下，若按照本条原条文的规定，不仅造成浪费，火灾时顶板洞口边的所有风管排烟效果均会大打折扣，而通过大量的顶板洞口进行自然排烟，不仅安全可靠而且也符合“有条件时应尽可能优先采用自然排烟方式进行烟控设计”的原则。因此，与原国家标准《汽车库、修车库、停车场设计防火规范》GB 50067不同的是，不再对采用何种排烟方式进行规定，例如面积大于1000m^{2}的地下汽车库若能满足本规范第8.2.4条的要求时，也可采用自然排烟方式。

除设置在地下一层的汽车库、修车库的汽车坡道可以作为自然排烟口外，地下其他各层的汽车坡道不可以作为自然排烟口。

8.2.4 对自然排烟方式的规定参照了相关国家规范的有关规定，为确保火灾时的自然排烟效果，本条对排烟窗面积、开启方式、高度等分别作了规定。

排烟窗即可开启外窗，是指设置在建筑物的外墙、顶部能有效排除烟气的可开启外窗或百叶窗，可分为自动排烟窗和手动排烟窗。自动排烟窗是指与火灾自动报警系统联动或可远距离控制的排烟窗；手动排烟窗是指人员可以就地方便开启的排烟窗。

地下汽车库可以利用开向侧窗、顶板上的洞口、天井等开口部位作为自然通风口，自然通风开口应设置在外墙上方或顶棚上，其下沿不应低于储烟仓高度或室内净高的1/2，侧窗或顶窗应沿气流方向开启，且应设置方便开启的装置。

8.2.5 汽车库、修车库设置排烟系统，其目的一方面是为了人员疏散，另一方面是为了便于扑救火灾。鉴于汽车库、修车库的特点，经专家们研讨，参照国家消防技术标准中对排烟量的计算方法得出简化表格。

8.2.6 地下汽车库发生火灾时产生的烟气，开始时绝大多数积聚在汽车库的上部，将排烟口设在汽车库的顶棚上或靠近顶棚的墙面上排烟效果更好，排烟口与防烟分区最远地点的距离是关系到排烟效果好坏的重要问题，排烟口与最远排烟地点太远就会直接影响排烟速度，太近要多设排烟管道，不经济。

8.2.7、8.2.8 据测试，一般可燃物发生燃烧时火场中心温度高达800℃～1000℃。火灾现场的烟气温度也是很高的，特别是地下汽车库火灾时产生的高温散发条件较差，温度比地上建筑要高，排烟风机能否在较高气温下正常工作，是直接关系到火场排烟的很重要的技术问题。排烟风机一般设在屋顶上或机房内，与排烟地点有相当一段距离，烟气经过一段时间方能扩散到风机，温度要比火场中心温度低很多。据国外有关资料介绍，排烟风机能在 280℃时连续工作 30min 就能满足要求，本条的规定与国家现行相关标准的有关规定是一致的。

排烟风机、排烟防火阀、排烟管道、排烟口是一个排烟系统的主要组成部分，它们缺一不可，排烟防火阀关闭后，仅是排烟风机启动也不能排烟，并可能造成设备损坏。所以，它们之间一定要做到相互联锁，目前国内的技术已经完全做到了，而且都能做到自动和手动两用。

此外，还要求排烟口平时宜处于关闭状态，发生火灾时做到自动和手动都能打开。目前，国内多数是采用自动和手动控制的，并与消防控制中心联动起来，一旦遇有火警需要排烟时，由控制中心指令打开排烟阀或排烟风机进行排烟。因此，凡设置消防控制室的汽车库排烟系统应用联动控制的排烟口或排烟风机。

8.2.9 本条规定了排烟管道内的最大允许风速，金属管道内壁比较光滑，风速允许大一些。非金属管道风速要求小一些。内壁光滑，风速阻力要小；内壁粗糙，风速阻力要大一些，在风机、排烟口等条件相同的情况下，阻力越大，排烟效果越差，阻力越小，排烟效果越好。

8.2.10 根据空气流动的原理，需要排出某一区域的空气时，同时也需要有另一部分的空气补充。地下汽车库由于防火分区的防火墙分隔和楼层的楼板分隔，使有的防火分区内无直接通向室外的汽车疏散出口，也就无自然进风条件，对这些区域，因周边处于封闭的环境，如排烟时没有同时进行补风，烟是排不出去的。因此，本条规定应在这些区域内的防烟分区增设补风系统，进风量不宜小于排烟量的 50%。在设计中，应尽量做到送风口在下，排烟口在上，这样能使火灾发生时产生的浓烟和热气顺利排出。

9 电　气

9.0.1 消防水泵、火灾自动报警系统、自动灭火系统、防排烟设备、电动防火卷帘、电动防火门、消防应急照明和疏散指示标志等都是火灾时的主要消防设施。为了确保其用电可靠性，根据汽车库的类别分别作一级、二级、三级负荷供电的规定，不同负荷供电等级基本与现行国家标准《建筑设计防火规范》GB 50016 的规定相一致。有的地区受供电条件的限制不能做到时，应自备柴油发电机来确保消防用电。

一些停车数量较少的汽车库采用升降梯作车辆的疏散出口，当采用电梯时，一旦断电会影响车辆的疏散，因此应有可靠的供电电源。本条对上述设备用电作了较严格的规定。

9.0.2 本条规定主要是为了保证在火灾时能立即用上备用电源，使扑救火灾的工作迅速进行，使消防用电设备在一定时间内不被火灾烧毁，保证安全疏散和灭火工作的顺利进行。

9.0.3 本条对配电线路的敷设作了必要的规定。

9.0.4 汽车库的环境条件较差，多数无自然采光，或虽有自然采光，但光线暗弱，多层以及高层汽车库因为停放车辆多，占地面积大，一般工作照明线路在发生火灾时要切断，为了保证库内人员、车辆的安全疏散和扑救火灾的顺利进行，需要设置消防应急照明和疏散指示标志。

由于地下汽车库内人员疏散相对困难，故消防应急照明和疏散指示标志的连续供电时间由 20min 改为 30min，以利人员疏散，同时，也可与现行国家标准《建筑设计防火规范》GB 50016 的规定保持一致。

9.0.5 本条对消防应急照明灯和疏散指示标志分别作了规定。

本条规定的消防应急照明灯的照度是参照现行国家标准《建筑设计防火规范》GB 50016 的有关规定提出的。该规范规定，供人员疏散的事故照明，主要通道照度不应低于 1.0Lx。

为防止被积聚在天花板下的烟雾遮住疏散指示标志的照度，对疏散指示标志设置位置规定为距地面 1m 以下的高度。根据调查，驾驶员坐在驾驶室的位置时，指示标志的高度应与人眼差不多等高，才能不致被汽车遮挡。20m 范围内的疏散指示标志是容易被驾驶员辨识的，所以本条规定疏散指示标志的间距为 20m 是合适的。

9.0.6 对危险场所的电气设备的防爆要求，现行国家标准《爆炸危险环境电力装置设计规范》GB 50058 中已有明确的规定，同样也适用于汽车库的危险场所，所以本条不另作规定。

9.0.7 本条规定了应设置火灾自动报警系统的汽车库、修车库。此次修订明确了屋面停车场可不设置火灾自动报警系统。同时，对条文的表述方式也作了调整。

根据对国内 14 个城市汽车库进行的调查，目前较大型的汽车库都安装了火灾自动报警设施。但由于汽车库内通风不良，又受车辆尾气的影响，不少安装了烟感报警的设备经常发生故障。因此，在汽车库安装何种自动报警设备应根据汽车库的通风条件和自动报警设施的工作条件而定。

由于汽车库、修车库人员少，起火不易发现，所以一旦发生火灾极可能导致重大财产损失，为早期发现和通报火灾，并及时采取有效措施控制和扑救火灾，大、中型及地下汽车库等设置火灾自动报警系统是十分必要的，所以将本条确定为强制性条文。

9.0.8 现行国家标准《火灾自动报警系统设计规范》GB 50116 等相关规范已对各类系统的联动控制作出规定，汽车库中各类系统的联动控制设计应按这些规范的相关规定执行。

9.0.9 设置火灾自动报警系统和自动灭火系统的汽车库，都是规模较大的汽车库，为了确保火灾报警和灭火设施的正常运行，应设置消防控制室，并有专人值班管理。由于汽车库内的工作人员较少，如设置独立的消防控制室并由专人值班有困难时，可与汽车库内的设备控制室、值班室组合设置，控制室、值班室的值班人员可兼作消防控制室的值班人员，这样可减少汽车库的工作人员。